尖閣は日本の領土
中国は侵略できない

8月16日に中国が設定する休漁期間が終わると、漁船と当局の船が大挙して尖閣の領海に侵入する恐れがあるとマスコミは掻き立てた。中国政府も日本政府に対し、尖閣諸島周辺で多数の漁船による日本の領海への侵入を予告するような雰囲気を醸し出していた。

中国漁船が侵入することはなかった。

中国は日本と紛争になるようなことは避ける。それは紛れもない真実である。

尖閣の深刻な問題は日本ジャーナリストや専門家が真実に目を背けていることである。

中国による尖閣侵略はない　中国はできない

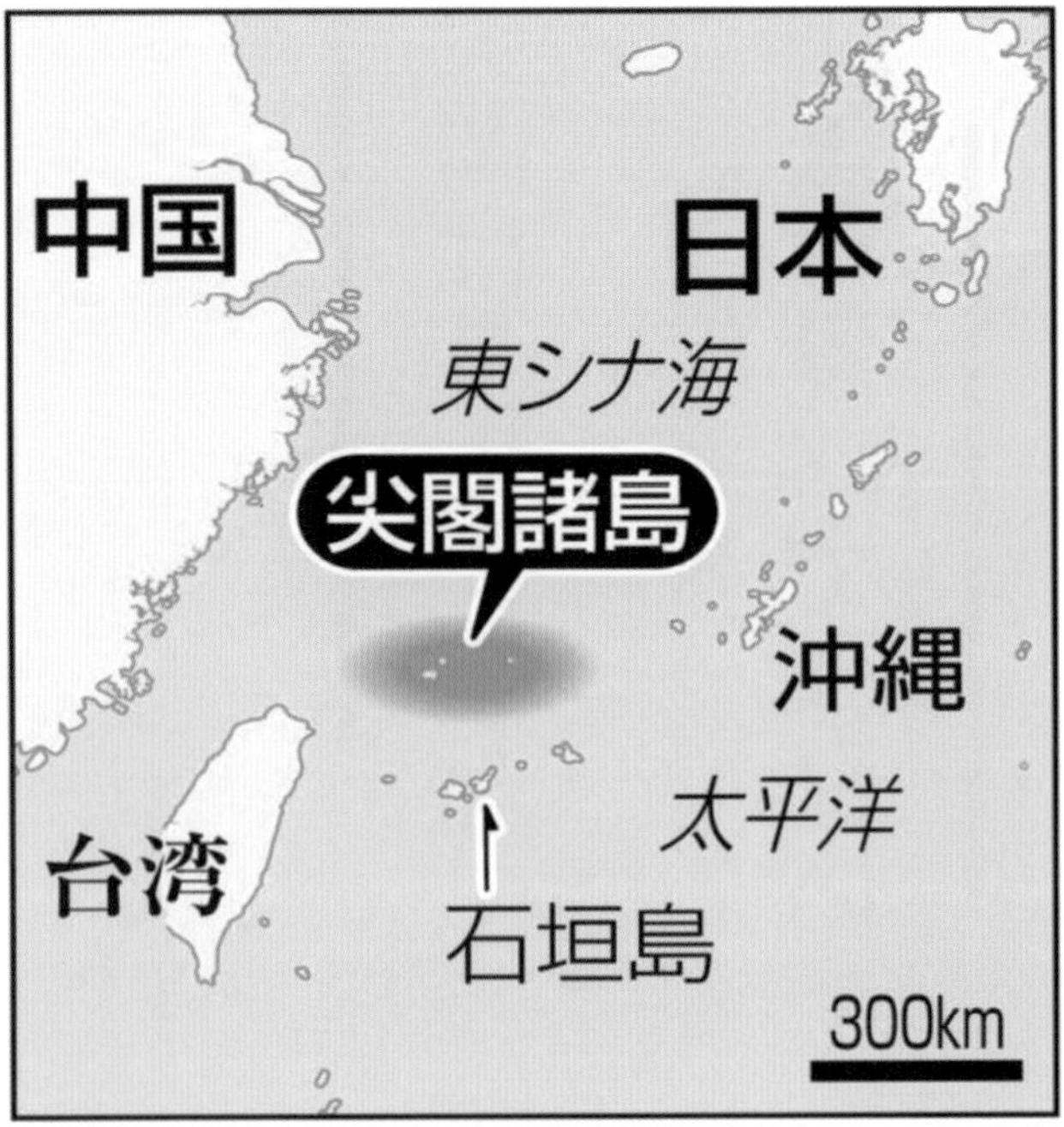

中国海警局の公船による尖閣諸島周辺での領海侵入をめぐって日本側が厳重抗議した。すると中国外務省の報道官は「日本が言う抗議は絶対に受け入れられない。日本が直ちに中国の海域から出ていくよう求める」と日本を非難した。尖閣は領海だと主張する中国は公船による尖閣周辺での領海侵入を繰り返している。

石垣市が尖閣諸島の住所地の字名を「登野城」から「登野城尖閣」に変更すると、「中国の主権への挑発である」と中国政府は反発した。そして、尖閣周辺の中国海警の公船活動は激しさを増していった。公船の領海内侵入は３０時間１７分を超え２０１２年９月の尖閣国有化以降、過去最長となった。過去最長の領海侵入は尖閣侵奪に向けた中国の攻勢であり、尖閣侵略の危機であるとするマスメディアは多い。

中国が公船以外の漁船や民間船を尖閣に侵入させることはない。海保の巡視船が捕縛する権利があり捕縛するからだ。中国政府は海保の巡視船が捕縛できない公船だけを尖閣領内侵入させるだけである。自衛隊と武力衝突をする軍艦が侵入することもない。

沖縄　日本　アジア　世界　2020・09

内なる　民主主義 24

中国漁船の尖閣侵入を大歓迎する

経済悪化　コロナ感染拡大　デニー
知事の最悪政治

沖縄県のPCR検査は人間差別

新型コロナ対策に失敗するはず
なのに成功した不思議な国ニッポン

コロナ対策に成功しているのにそれを
自覚しない不思議な国ニッポン

新型コロナ対策に成功したことを説明
できない不思議な国ニッポン

日本政府が韓国に制裁するのは当然である
独立国家としての威信がかかっている

香港問題は香港だけでなく中国の民主化
問題でもある

新型コロナ問題が日本を席捲した。ワクチンが開発されるまではコロナとの闘いは続くだろう。沖縄がコロナ感染者率全国断トツになったのは驚いた。感染率は全国平均の5、6倍以上である。考えられない。なぜこれほどまでに増えたか、原因を明らかにしてほしいが、やらないだろう。やれば県や医師会のミスが明らかになるから。

最近不思議に思うのは、夏になると沖縄より本土の方が暑くなることである。本土が39、40度と報道している時に家の温度計を見ると32度だった。なぜ南の沖縄が温度が低いのだ。不思議である。沖縄は小さな島で海に囲まれているからだと考えていたが、それだけでは説明のつかない本土の温度上昇である。

今の沖縄は、夏は本土ほど暑くなく、冬は寒くない島である。まあ、沖縄は暮らしやすいということだ。

新型コロナ感染、慰安婦、徴用工や尖閣等の問題で専門家やジャーナリストの間違った理論が満ち溢れているのが日本である。真実をストレートに受け止めた上での理論を展開してほしい。切実に願っている。

尖閣は日本の領土　中国は侵略できない　3

中国漁船の尖閣領海侵入を大歓迎する

中国による尖閣侵略はない　中国はできない

沖縄！政権　左翼VS保守　沖縄！辺野古・普天間　沖縄！新型コロナ　16

沖縄の左翼政党は確実に衰退し続けていることが県議会選挙で明らかになった

普天間飛行場は辺野古以外に移設できないことを自民党県連は県民に理解させるべき

デニー知事に辺野古移設反対は普天間飛行場の固定であることを認めさせよう

コロナ感染拡大阻止＋観光経済復興がデニー県政の使命である

経済悪化　コロナ感染拡大　デニー知事の最悪政治

沖縄県のPCR検査は人間差別

八重山は濃厚接触者の全員検査を維持　正しい選択である

中国はベトナム、フィリピンには軍事力によって支配地域を拡大している。インドとは軍隊同士の戦いを展開した。しかし、尖閣には軍艦ではなく公船が領海侵入しているだけである。軍艦だと自衛隊が出動する。領海内に入ると退去命令を出し、それでも退去しないと砲撃もありえる。軍事衝突をすれば日本と中国の関係は悪化し、中国の日本企業は中国から引き揚げるだろう。米国など日本と関係の深い国の企業も引き揚げるだろう。中国経済は悪化する。中国が経済の悪化を避けるには軍事衝突は避けなければならない。しかし一方では、尖閣は中国の領土であると主張しなければからない。だから公船を侵入させているのだ。尖閣に中国が侵略することはない。8年前の2012年に中国の活動家が尖閣の魚釣島に上陸した時も同じことを書いた。中国に対する考えは8年前と同じである。

2012年8月15日　香港、マカオ、大陸の団体「保釣行動委員会」の活動家らが乗船している抗議船が日本の領海内に侵入した。

領海内に向かっている抗議船に巡視船は放水し、領海侵入を止めようとした。公船に放水すると政治問題になるので放水は避けている。

活動家ら７人が魚釣島に上陸した。沖縄県警察は出入国管理及び難民認定法（入管難民法）第６５条違反容疑で上陸後も島に留まり続けた活動家ら５人を現行犯逮捕した。

抗議船は領海外へ逃げようとしたので、巡視船は追いかけて、海上保安官が抗議船に移乗し、抗議船を捕縛した。

船に乗っていた者9人も不法入国で現行犯逮捕、総計14人を逮捕した。

読売新聞は「中国の尖閣デモ、25か所以上で数万人参加」を掲載した。

【北京＝大木聖馬、上海＝角谷志保美】沖縄県の尖閣諸島に不法上陸した香港の活動家らが強制送還されたのを受け、中国の領有権を主張する反日デモが19日、北京、上海、広州など中国各地の25か所以上で起き、若者を中心に計数万人が参加した。

広東省深センや浙江省杭州では参加者が暴徒化し、日本料理店のガラスが割られるなどの被害が生じた。胡錦濤政権は、世論を利用して対日圧力を強化する一方、政府批判につながる動きは厳しく抑え込む姿勢だ。

広州の日本総領事館前では同日午前10時（日本時間同11時）ごろ、学生ら500人以上が中国国旗を掲げながら、「日本人は中国から出て行け」などと抗議。上海の日本総領事館前では、周辺の各省から集まった男女約30人がそろいのTシャツを着て、「琉球諸島を返せ」と気勢を上げた。北京の日本大使館前でも断続的に20人以上が集まり、「日本製品をボイコットしろ」などと叫んだ。

このほか四川省成都や遼寧省瀋陽、山東省済南などでは数百人から数千人が、「釣魚島（尖閣諸島の中国名）は中国の領土」と書いた横断幕を掲げてデモ行進。湖南省長沙では日系スーパーのガラスが割られた。デモは同日夕にはほぼ終了し、日本大使館によると、日本人への被害は届けられていない。

（2012年8月20日07時50分　読売新聞）

・・・・・・・・・・・・・・・・・・・・・・・・

08月21日のブログに「中国のデモなんかちっとも恐くない」を掲載した。

中国のデモなんかちっとも恐くない

中国のデモは日本に少しも脅威ではない

日本料理店を破壊したり、日本車をひっくり返したりして中国のデモが激しくなればなるほど、中国の商売があがったりだ。日本料理店で働いているのは中国人であり、店が倒産すれば中国の従業員が職を失う。反日デモが激しくなればなるほど日本への圧力が強まるように見えるが、実際は中国の経済が停滞してしまう。

困るのは中国であって日本はちっとも困らないし、本当は日本政府も困らない。

もし、暴徒化した反日デモが何日も続いたとしたら、中国の観光業にすぐ影響する。観光は治安がよく平穏であることが絶対条件だから暴徒化したデモが続けば観光客は激減するし、商売もできなくなる。

「日本人は中国から出て行け」と威勢よく主張しているが、日本企業が中国から撤退すれば中国経済は大打撃を食らう。日本との貿易が中断すれば破綻する中国企業が続出するだろう。同じように日本の産業も大打撃を食らい、破綻する企業が続出する。資本主義経済とはそういうものだ。日本人が中国から出ていけば日本も大打撃を食らうが、それ以上に中国のほうが大打撃をくらう。

「釣魚島（尖閣諸島の中国名）は中国の領土」だから、武力で取り返せという主張があるが、もし、戦争になれば中国も日本も経済破綻してしまうだろう。どちらが戦争に勝利しても残るのは経済の破綻である。だから、中国政府も日本政府も戦争をすることはありえない。武力で尖閣諸島を奪うという発想は馬鹿らしい発想である。

もし、南沙諸島のように中国が軍艦を尖閣諸島に出せば自衛隊も軍艦を出すだろう。

一気に日中の緊張が高まり、貿易は停滞する。そうなれば日中双方の経済打撃は大きく中国で経営破たんする企業は続出し、中国経済は下降する。日中対立による経済の減速に対して中国国民の経済不振への不満の目は、短期的には日本に向かうだろうが、長期になれば非難は中国政府に向けられる。中国政府への非難は拡大し、共産党一党独裁支配の危機に陥る。だから、尖閣問題で中国が日本に戦争を仕掛けることはできない。

評論家たちは、中国活動家の次は大漁船団が尖閣に現れ、漁船の休息する場所を尖閣につくるために中国解放軍の軍艦が尖閣にやってくると、中国が南沙諸島でやったことのコピーを尖閣でもやるといっているが、そんなことしか言えないのは日本の評論家の思考の浅さを示している。

フィリピンやベトナムと日本は経済力、軍事力で雲泥の差がある。中国政府は南沙諸島でやったのと同じことを尖閣諸島ではできないことを知っている。

そして、日本との紛争が長引けば中国の共産党一党独裁支配に亀裂が生じる危険性があり、中国共産党にとって不利であるということも知っている。だから、せいぜい中国の活動家を尖閣に上陸させるくらいである。そして、デモも一日二日の短期間で終息させるのだ。

中国の活動家が尖閣諸島に上陸したことに対して、日本の評論家たちは、

「法治国家の日本として厳しく取り締まらなければならない」程度の評論しかしない。そんな当たり障りのない評論ではなく、厳しく取り締まった方が日本に有利に展開すると断言できる評論家はいないのかとため息が出る。テレビに登場する大学教授や評論家なんて、偉そうに話しているがみんな底が浅い。

小泉首相時代に、中国の経済が発展すれば日本経済は破綻するとほとんどの評論家は中国脅威論を唱えていた。小泉首相だけが中国の経済が発展すれば日本製品をたくさん買うようになるから中国経済の発展を歓迎すると公言した。結果は１００人の評論家より小泉首相の考えが正解だった。あの時に中国脅威論を唱えていた評論家が今度は逆に中国とこじれたら日本製品を中国が買ってくれなくなると逆の中国脅威論を唱えている。その場その場の状況しかみえないのが日本の評論家たちである。

中国の船長を逮捕した時に、中国政府はレアアースを輸出中止したり、日本社員を逮捕して日本政府を脅したが、あの時は、長期戦では中国に不利であることを知っている中国政府は短期決戦を仕掛けたのだ。日本政府は中国政府の思惑通り、中国政府がしかけた短期決戦に敗北した。そのことを的確に説明できる評論家が日本にはいない。

次に中国の活動家が尖閣諸島に来たときは、領海に入ったら直ぐに逮捕して、起訴したほうがいい。

中国本土ではデモをやるだろう。大規模デモが長期になればいつ民主化運動に転換するかもしれない危機を孕んでいる。デモが暴徒化して中国国内が荒れれば荒れるほど、一番困るのは一党独裁支配している中国共産党である。神経質で狡猾な中国政府だから、このようなシミュレーションはすでにしているだろう。だから、中国活動家が１０月に再び尖閣諸島に行くと断言しているが、二度目は日本政府は

起訴して問題が長引く。するとデモも長引き制御することが困難になる。中国政府は活動家を尖閣に行かせない。

私は、中国活動家が10月に再び尖閣諸島にやってこないことを断言する。

ブログ「内なる民主主義」

デモはすぐに鎮静化したし、その後は尖閣に上陸した中国人活動家はいなかった。数回活動家たちが尖閣上陸を目指したが途中で中国政府によって捕縛されて上陸はできなかった。中国政府が尖閣上陸を阻止したのである。

中国が経済発展するには日本の資本、技術、金融が必要である。だから日本との軍事衝突を中国政府は避けている。8年後の今も同じである。

中国公船の接続水域内での航行は81日連続になるが、中国公船は海保の巡視船に見守られながら漁船が漁をしている時はなにもしない。遠巻きに見張っている。漁を終えて石垣に戻ろうと走り出すと中国公船がスピードを上げ接近する。スピードを上げて巡視船の前に行ったり、緩めて後ろに張りついたりして漁船を威嚇する。漁船をガードする海保の巡視船からみれば「危険な状況ではなかった」と認識する程度の中国公船の行動である。

尖閣で武力衝突するようなことは起こらない。中国人の尖閣上陸も起こらない。「中国は、『自分たちが主張する“領海”から、日本の漁船を追い出した』という映像を撮り、その映像を国内で流して、尖閣は中国の領土と宣伝に使うくらいである。

中国が、本気で尖閣を乗っ取りにくることはない。武力衝突は中国政府も避けている。尖閣が紛争に発展することはない。紛争になれば中国経済が悪化するからだ。。夕刊フジは「今日の香港は、明日の台湾、明後日の沖縄・尖閣」と心配しているが、香港のようにはならない。

香港と尖閣は違う。香港は深刻である。弱小な香港民主主義と強固な中国独裁の熾烈な戦いである。圧倒的に中国政府が有利である。

香港と台湾も違う。台湾は実質的に中国から独立している。経済・軍事の力は香港よりも強いし、中国政府が内政干渉することはできない。台湾が明日の香港になることはない。

中国漁船の尖閣領海侵入を大歓迎する

中国政府が漁船群の尖閣領海侵入を予告した。そして、日本側に航行制止を「要求する資格はない」と通告した。

尖閣周辺での中国が設定する休漁期間が終わり、漁船と公船が領海に大挙して侵入する恐れがあるとマスメディアは騒いでいる。

中国漁船の尖閣領海侵入は大歓迎だ。どうぞ侵入してくれ。中国の漁船と公船が領海に大挙して侵入してほしい。日本の実効支配の切り崩しに向け、挑発をエスカレートさせる可能性もあるとマスメディアは危機感をあおっている。危機は全然ない。侵入した漁船に領海から出ていくように警告して、警告に従わなければ拿捕していけばいい。侵入したければどんどん侵入すればいい。拿捕すればいいだけのことである。漁船や中国公船が拿捕を実力で阻止しようとすれば自衛艦を出動させて拿捕すればいい。中国漁船を侵入させたくらいで日本の実効支配を切り崩すことはできるはずがない。できないことをみせつければいいだけのこと。

日本政府は「尖閣は日本の領土である。尖閣に領土問題は存在しない」に徹すればいいのである。それだけのことだ。

２０１５年８月に約２００～３００隻の中国漁船が尖閣周辺に押し寄せ、４日間で漁船延べ７２隻と公船延べ２８隻が相次いで領海侵入したため現場が混乱し、日中関係が緊迫化した過去がある。緊迫しただけである。紛争に発展することはなかった。紛争に発展しなかった理由は中国にある。中国は緊迫化まではさせるが紛争は避けるからだ。

中国が権益を主張している南シナ海の領有権問題で、「あくまで２国間の問題であり、２国間で話し合いによる解決を目指したい」とする中国に対して、インドネシアは「中国の権益主張は国際ルール違反であり、２国間にそうした問題は存在せず、話し合う必要性がない」と断固とした姿勢を貫いている。尖閣と同じである。

２０１５年インドネシアは捕縛した中国漁船を爆破した。

中国はインドネシアの中国漁船爆破について、「建設的に漁業協力を推進し、中国企業の合法で正当な権益を保証するよう望んできた」と抗議をしただけで武力的な報復はしなかった。インドネシア側に説明を求めたことを発表しただけである。

周辺海域の海上で起きる様々な事件に関する情報を集約、管理して、海軍をはじめとする各関係機関、周辺国の同様の組織と情報を共有する組織ＩＭＩＣの創設を通してさらに中国には毅然とした立場を示しているのがインドネシアである。

日本政府は中国漁船が領海侵入すれば拿捕すると宣言をして、侵入すればインドネシアのように拿捕すればいい。

現代ビジネスは日本と中国の歴史的な関係を説明した後に、次のように中国と日本を比較しているが、詰まらない比較である。

中国

・習近平政権は強軍強国を合言葉に、軍事力と経済力を増強し、アジアの新興大国として台頭している。

・アメリカとの「新冷戦」（貿易戦争・技術戦争など）を打開しようと躍起になっている。

・冬の新型コロナウイルスと夏の記録的豪雨による経済悪化で、国民の目を外にそらしたい。

日本

・中国の軍拡と挑発が恐ろしくて、アメリカに防衛を頼っている。
・末期の安倍晋三長期政権も、国民も、平和ボケしている。
・海上保安庁や防衛省・自衛隊が危機を訴えても、安倍政権は専守防衛を命じるのみである。

現代ビジネスは中国の弱点を指摘しない。中国の経済が発展したのは外国資本のお陰である。中国独自で発展したのではない。中国が社会主義にこだわり外国の資本を拒んでいたら経済が崩壊しソ連と同じ運命をたどっていただろう。中国が経済発展したのは外国資本のお陰であるし今も同じである。

中国経済が発展するには日本の資本と技術が必要である。習近平主席が来日する目的は日本の経済協力を確保するのが目的だ。日本と紛争を起こし、経済交流がストップすれば中国経済が低迷する。だから、尖閣で紛争を起こして日本と国交断絶することは絶対に避けるのが中国である。

中国が尖閣で紛争を避ける理由がもう一つある。国内で反日運動が起こることである。中国漁船を拿捕し、船員を起訴すれば反日運動が起こるだろう。裁判の間にますます反日運動は高まる。日本の店や工場の破壊が拡大していくだろう。政府が制御できないほどに反日運動が高まると、不満が政府へ向くようになり、反日運動が反政府運動に転換するだろう。

中国漁船が尖閣領海に侵入するのを歓迎する。紛争に発展し、中国経済が低迷し、反日運動が反政府運動に発展して、中国独裁国家が崩壊して議会制民主主義国家が誕生するのを望む。最後の巨大独裁国家の終焉を望む。

中国政府は紛争に発展するぎりぎり手前の策略を日本に仕掛けている。その仕掛けに騙されて尖閣危機を訴えるのがマスメディアや中国経済に精通していない政治・軍事評論家たちである。

日本の経済力は世界3位、軍事力は世界5位である。中国とは五分に渡り合える。むしろ経済では日本が有利である。日本の部品の輸出なしには中国製品はつくれないからだ。日本との紛争を恐れているのは中国だ。

中国は予告通り尖閣領海に漁船を侵入させてほしい。有言実行せよ。

でかいゴーヤーが採れた

牛乳パックと同じくらいの大きさである。スーパーではこんなに大きいゴーヤーは売っていない。すぐに熟して黄色くなり売り物にならないからだ。スーパーに出すのは4、5日でも熟することがないように早めに収穫したゴーヤーである。それにしてもこんなに大きいゴーヤーは珍しい。普通ならこのくらい大きくなる前に熟する。

これが熟したゴーヤーである。大きいゴーヤーの3分の2くらいの大きさである。普通はあんなに大きくはならない。大きくなる前に塾する。

この三つのゴーヤーは屋根のテレビアンテナに絡まっていたゴーヤーの茎にぶらさがっていたものだ。

私は外人住宅に住んでいる。花壇にするくらいの土地があるが、花を植えるのは好きではない。食い物の野菜を植えるのが好きだからゴーヤーを植えた。狭いから棚はつくれない。だから、屋根から網棚を下ろして、縦の棚をつくった。

ゴーヤーは順調に成長した。そして、屋根にまで到達するとアンテナ線に絡まって伸びていった。テレビはちゃんと見ることができたのでそのままにしていた。

ゴーヤーの茎は伸びていきアンテナまで届きそうになった。アンテナに絡むのはまずいと思い、ゴーヤーの茎をアンテナから引き離すために屋根に上ることにした。はしごを上り、アンテナに近づいてゴーヤーの茎を見て驚いた。なんとアンテナの配線にからまっているゴーヤーの茎に大きなゴーヤーがぶら下がっているではないか。三個も。信じられない。高いから養分は十分に行き届かなくなり実は小さくなるか、よくて普通だと思っていた。ところが大きいのである。なぜだろう。不思議だ。

大きいゴーヤーは苦みが薄くなるがうま味が深くなる。その味が好きだ。特にアバサゴーヤーがそうである。私はアバサゴーヤーが好きだからアバサゴーヤーだけを植えている。

来年は屋根に低い棚をつくろう。ゴーヤーは屋根に上らせる。大きいゴーヤーができるかの実験だ。ゴーヤーが屋根で栽培できるなら、縦の網棚はキュウリとモーイ栽培に利用しよう。来年が楽しみだ。

沖縄！政権　左翼VS保守

沖縄！辺野古・普天間

沖縄！新型コロナ

勢力が弱体化していた左翼だったが翁長前知事と共闘して息を吹き返した。しかし左翼の弱体化は続いている。それを実証したのが県議会選挙であった。

辺野古移設は着実に進む。自民党県連や保守は辺野古移設反対の左翼ともっと真剣に対決してほしい。

沖縄がコロナ感染率トップになった。断トツである。考えられないことである。デニー知事のコロナ対策政治が問われる。

沖縄の左翼政党は確実に衰退し続けていることが県議会選挙で明らかになった

県議会選挙の結果
○与党
共産７→６
社民４→５
社大２→３
立民１→０
無所属１１→１２
○中立
公明２→４
○野党
自民１７→１３
無所属２→１

左翼政党の議席は１４議席である。左翼政党だけでは与党にはなれない。無所属の１１議席が加わって過半数の２５議席になれる。無所属議員は全員が左翼ではない。保守系の議員が多い。その中には翁長前知事が自民党から離党した時に連れてきた元自民党系の議員も居る。翁長前知事の次男である雄治（たけはる）氏（３２）が、那覇市・南部離島選挙区で初当選した。雄治氏は「これから4年間、父、翁長雄志が沖縄に残した『オール沖縄』の保守の立場として、玉城県政をしっかり支えていく」と力を込めた。本来自民党県連と提携するはずの保守が左翼政党と共闘しているのが沖縄の政局である。保守の一部が左翼政党を与党にしているのである。

保守が共産党と共闘することは本土ではあり得ないことである。

共産党には二段階革命論があり、社会主義イデオロギーが根底にある。社会主義イデオロギーの共産党は反自民党に徹している。保守とは根本的に敵対関係にあるのが共産党である。ところが自民党のリーダーであった翁長雄志氏は自民党本部の辺野古移設方針に反対して自民党を離党し、共産党などの左翼政党とオール沖縄を結成して県知事選で共闘した。左翼政党だけでは県知事選に勝つことができない左翼政党にとって翁長氏の共闘申し入れは歓迎するものであった。

自民党を離党した翁長氏と左翼政党の共闘によって翁長氏は県知事選に勝利した。翁長氏は辺野古移設反対で共産党と一致していたが、普天間飛行場の移設では違っていた。翁長氏は普天間飛行場の県外移設を主張していたが、共産党は国外移設を主張していた。共産党は日本の米軍基地すべてを撤去するのを目指していたから翁長氏の県外移設には本当は反対であった。しかし、選挙に勝ち与党になりたい共産党は本音を隠して翁長氏と共闘したのである。

翁長前知事は死去し、後継者として玉城デニー氏が県知事になった。後継者であるなら県外移設を主張するべきであるがデニー知事は県外移設を言わなくなった。共産党に主導権を握られているデニー知事が県外移設を口にすることはない。

共産党は翁長知事の右腕的存在であり、安倍政権と裏でつながっていた安慶田副知事を辞職に追い込んだ。県の予算には政府の交付金が大きく影響する。安慶田副知事は翁長知事の指示で政府との接点を保ち、交付金の確保を目指していた。しかし、自民党と敵対している共産党は安慶田副知事が安倍政権と通じていることを嫌った。

維新の党や希望の党の保守政党も与党だと決めつけるほどに保守の政党を嫌い敵対しているのが共産党である。国民民主党が安倍政権が提出した働き方改革案に賛成しただけで国民民主党を安倍政権と一緒の与党だと決めつけて非難した共産党である。それほどに共産党は安倍政権を嫌い、保守政党を嫌っている。

そんな共産党であるから安慶田副知事が安倍政権と親密な関係を保とうとしていることを嫌い、安慶田副知事排除に走った。

教員採用試験で特定の受験者（複数）を合格させるよう県教育委員会側に依頼したとか、教育庁幹部人事で特定の人物の登用を働きかけたとして安慶田副知事は告発された。県の教育庁は左翼の強固な砦である。告発したのが教育庁の幹部たちであり幹部たちが示し合わせた話に反論は通用しなかった。告発によって安慶田副知事は辞任した。

安慶田副知事の後任は元国際大学学長の左翼経済学者富川氏であった。その時にはすでに翁長知事には副知事を決める権限はなかったのである。すべては共産党などの左翼政党が権限を握っていたのだ。翁長知事の誤算は共産党はピラミッド型を徹底している政党であり、指令は東京代々木の本部から沖縄に下される。共産党は翁長知事が太刀打ちできないほどに強固なイデオロギーと政治戦略に優れていたのである。

共産党に太刀打ちできないのはデニー知事も同じである。副知事を選任する権限は知事にあるのだが、デニー知事にはない。二人の副知事は翁長知事時代に左翼が配置した副知事のままである。デニー知事が選任した副知事ではない。デニー知事も翁長知事と同じように左翼政党の言いなりである。

共産党は安慶田副知事を辞職に追い込んで県政を牛耳るようになったが、今回の県議選では安慶田副知事を追い出したことが裏目に出た。

沖縄県議選に向けて自民党、公明党などの公認・推薦議員で県議会の過半数獲得を目指し、次期知事選で県政奪還を視野に入れた政治集団「21令和の会」を安慶田氏たちは設立した。会長に儀間光男前参院議員(元浦添市長)、副会長にかりゆしグループの平良朝敬代表、事務局長に安慶田光男元副知事が就任した。

「21令和の会」は保守系の立候補者の当選を目指して活動した。とりわけ沖縄市区はデニー知事にとって衆院議員時代からのお膝元で、「戦い方」は熟知していたはずだったが「21令和の会」によって選挙前から既にデニー知事の影響力をそぐ動きが活発化していた。デニー知事の地元である沖縄市区では玉城満氏が落選し、宜野湾市や島尻・南城市区などで計4人の現職が落選したのである。安慶田氏を副知事の座から追放したことが安慶田氏を熱心な自民党県連応援団に変身させ、自民党県連議員増加を招いたのである。

その結果、自民党県連議員は4人増えて17人になったし、保守系無所属も1人増えて2人になった。2年前の県知事選でデニー氏が圧勝したから県議選も与党議席が増えると予想していたと思うが、結果は2議席減らしてかろうじて過半数を確保しただけである。

沖縄政治の大きい流れは左翼政党の弱体である。稲嶺知事8年、仲井真知事8年と16年間自民党県連政権が続く中で左翼政党は弱体化し、左翼政党単独で知事選に勝利するのは困難になっていた。翁長前知事と共闘して政権与党になった左翼政党ではあるが今回の県議会選で県民の支持を増やすことができなかったことが明らかになった。これからも左翼政党が議席を増やすことは困難だろう。
日本全体でも左翼衰退の傾向は同じである。

翁長前知事が居た頃の自民党県連は辺野古移設反対であった。安倍政権の圧力で辺野古移設に反対することはできなくなり、反対も賛成もしなかったが今度の県議選では辺野古移設賛成を主張する候補者が増えた。それにも関わらず議席を増やしたのである。左翼の衰退はゆっくりと確実に進んでいる。

与党会派おきなわと野党自民党が共闘して県会議長を奪取

沖縄県議会で赤嶺昇氏（おきなわ）が第１８代議長に選出された。赤嶺氏は与党であるが左翼ではではない。保守だ。

与党は共産7、社民4、社大2、立民1、無所属11であるが、沖縄・平和(社民党・社大党・無所属)8、共産7、てぃーだネット(立憲民主・無所属)7、おきなわ3の4会派に分かれている。赤嶺氏は最も少ないおきなわの議員である。おきなわの議員が選ばれたのには自民党県連の策略の成果である。

与党の会派おきなわを除く3会派が推した崎山嗣幸氏（沖縄・平和）が有力視されていた。しかし与党の切り崩しを狙う野党自民の働き掛けにより、玉城デニー知事や与党と距離を置く赤嶺昇氏（おきなわ）が議長に選出された。会派おきなわは与党であるが他の政党とは信頼関係が薄い。副議長選は自民の仲田弘毅議員が当選した。

行政は左翼　議会は保守というねじれた状態になった沖縄県政である。

普天間飛行場は辺野古以外に移設できないことを自民党県連は県民に理解させるべき

琉球新報が普天間飛行場移設について県民の希望世論調査をした。その結果、

無条件に閉鎖・撤去　３０．２８％
県外に移設　１９．７２％、
国外に移設　１９．５２％
名護市辺野古への移設　１７．１３％

無条件閉鎖・撤去や県外・国外移設を求める意見が計６９・５２％と約７割を占めた。「名護市辺野古に移設」は１７・１３％、「辺野古以外の県内」が２・９９％だった。

名護市辺野古の新基地建設について聞くと、「反対」と答えた人が最も多く５２・７９％だった。「どちらかといえば反対」の９・５％が辺野古飛行場建設に反対している。「賛成」は１５・５４％で、「どちらかといえば賛成」を合わせて２７・６９％だった。

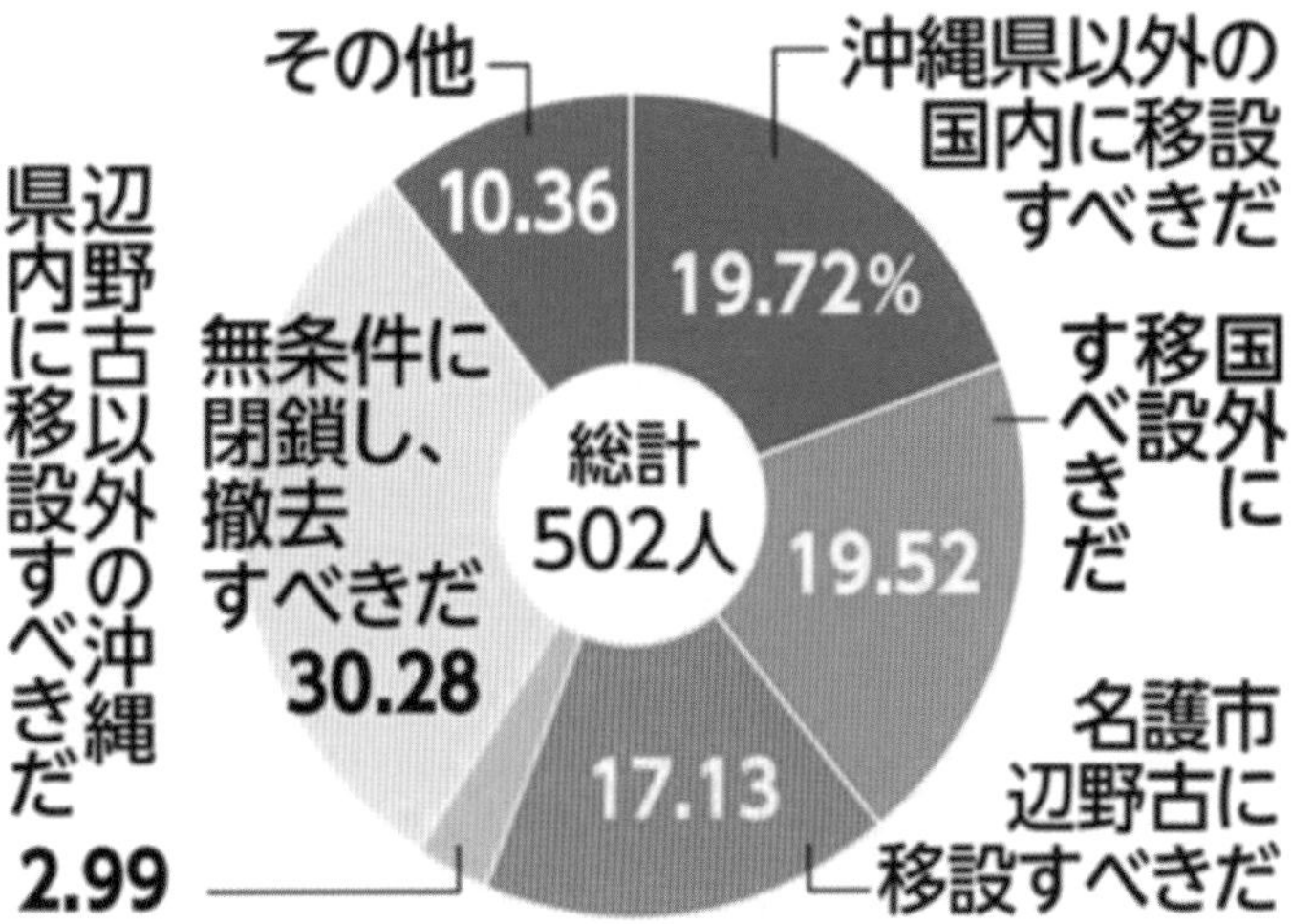

「すべきだ」としているが、実際は県民の「希望」の世論調査である。普天間飛行場の移設は現実問題である。県民が「すべきだ」と希望しても実現する

というものではない。希望が実現するか否かを検討するべきである。普天間飛行場の移設は希望だけの世論調査だけでは片づけられる問題ではない。希望が実現できるか否かも追及するべきである。

「無条件に閉鎖し撤去すべきだ」が３０、２８％でもっとも多い。共産党がずっと主張し続けたことである。「無条件に閉鎖し撤去すべきだ」はもっとも多い希望であるが、問題は閉鎖・撤去することができるか否かである。閉鎖・撤去はできないのに希望することは現実の政治を無視した希望である。

閉鎖・撤去は自民党が与党である限り実現できない。希望が実現するためには国会の過半数を共産党、社民党などの左翼政党が占め、政権を握らない限り実現は無理である。左翼政党が過半数になることは限りなく０に近い。だから閉鎖・撤去は実現できない。実現できないことを希望しているのが閉鎖・撤去である。同じように国外に移設するのも左翼政権にならない限り無理である。

「沖縄県以外の国内に移設する」の県外移設には普天間飛行場を受け入れる本土の市町村がなければならない。国が移設を強制することはできないのが日本の法律である。自民党の小泉首相の時に県外移設をやろうとしたが受け入れる市町村は一つもなかった。だから県外移設はできなかった。

民主党政権になって鳩山氏が首相になったが、彼は小泉首相の時に県外移設ができなかった事実を知らないで県民に県外移設を公約した。しかし、本土には普天間飛行場を受け入れる市町村はひとつもなく県外移設は失敗した。県外移設は不可能であり普天間飛行場の移設は辺野古しかないと民主党は認識したから２０１０年に菅首相が辺野古移設を最終決定したのだ。

辺野古に移設ができるのはキャンプ・シュワブという米軍基地内に移設するからである。県内でも辺野古以外の歯所に移設することは困難である。

沖縄紙は何度も普天間飛行場移設の世論調査をしたが、県民の希望を調査するだけで希望の実現の可能性は一度も追及したことがない。追及すれば県外移設、閉鎖撤去、国外移設が無理であることが判明し、県民は辺野古移設と普天間飛行場固定の二者択一を問われることを知ってしまうからだ。そうなると過半数以上の県民が辺野古移設に賛成するだろう。

左翼の目的は辺野古移設を阻止することである。阻止すれば普天間飛行場は辺野古に移設することができなくなり固定化する。辺野古移設を阻止した後に普天間飛行場の閉鎖・撤去の運動を展開していくことが左翼の狙いである。左翼が避けているのが辺野古移設以外の移設が実現可能かどうか明確にすることである。左翼も沖縄紙も辺野古以外に普天間飛行場の移設が実現できる場所があるかどうかを検討するのを徹底して避けている。

翁長前知事は辺野古移設反対の根拠に県外移設を掲げていた。県外移設を実現するには本土市町村長と普天間飛行場受け入れの交渉をしなければならない。しかし、知事になってから一度も本土の市町村長と交渉したことはなかった。県外移設は不可能であることを翁長前知事は知っていたのだ。知っていたから県外移設の交渉を本土の市町村長としなかったのである。翁長前知事の後継者として県知事になったデニー知事は県外移設を一言も言わなくなった。県外移設ができないことを知っているからである。

左翼は知恵を絞り、辺野古移設反対の雰囲気づくりに成功し、嘘を真にした。辺野古移設反対が62%になっているのは左翼の努力の賜物である。嘘も方便とは辺野古問題のことである。左翼の嘘が県民に広まったのは左翼の努力だけではない。自民党県連が左翼の嘘を見破ることができないで左翼のやりたい放題にさせたからである。それだけではない。左翼の嘘がつくり出した辺野古の海汚染を信じ、なんと自民党県連も辺野古移設反対を主張した過去があったのだ。

県外移設ができないことは小泉首相時代に明らかになった。それで辺野古移設に戻り、当時の県知事、名護市長、額賀防衛庁長官、国防総省、ホワイトハウスの5者が合意した。辺野古移設ができないと普天間飛行場は固定化するから、固定化をさせないために辺野古移設を選んだのである。

安倍政権は辺野古移設以外にないと断言して辺野古移設を進めている。自民党県連は普天間飛行場移設の原点に戻り、辺野古以外に普天間飛行場を移設する場所はないことを認識するべきである。

デニー知事は辺野古移設に反対している。自民党県連がデニー知事に問わなければならないのは辺野古以外のどこに移設できるかである。問題の中心は辺野古ではなくて普天間飛行場の移設であることをデニー知事に認識させるべきである。辺野古は軟弱基盤のために飛行場完成は10年後になるが、デニー知事はそれでは遅すぎると政府を批判している。それではどこなら辺野古より早く普天飛行場を移設することができるのかをデニー知事に問うべきである。辺野古移設反対のデニー知事を追い詰めることによって辺野古移設以外に普天間飛行場の固定化を避ける方法はないことを県民に理解してもらうことが重要である。

左翼の強みは辺野古であるが弱点も辺野古である。翁長知事時代から辺野古移設ができなければ普天間飛行場が固定化することを県民に理解させていれば辺野古移設反対は県民の支持を失っていたろう。そうならなかった原因は自民党県連が左翼の嘘を覆すことができなかったからである。沖縄の保守は左翼との闘いから逃げた。だから左翼の嘘がまかり通り、左翼が政権を握っているのだ。

わたしが「普天間飛行場の移設は辺野古しかない」を掲載している「沖縄に内なる民主主義はあるか」を出版したのは8年前の2012年である。ある出版社に頼んで自費出版を申し込んだら断られた。その出版社は自費出版を募集していたから原稿を送って申し込んだ。それなのに断られたのである。その出版社で出版している本の内容と私の「普天間飛行場の移設は辺野古しかない」の内容が違うのが自費出版を断る理由であると言われた。表現は自由であるし内容の違う本であっても自費出版は受け付けるのが当然と思ったがそうではなかった。

仕方がないので石垣市で自費出版を募集している出版社に依頼した。ところが断られた。断られた理由は「八重山教科書問題はなにが問題だったか」であった。左翼系の竹富町教育委員会を批判していたからであった。

あの時に左翼が沖縄に広く深く浸透しているのを痛切に感じた。左翼の嘘を暴かなければと5年前の2015年には「捻じ曲げられた辺野古の真実」を出版した。しかし、相変わらず左翼の嘘が沖縄に充満し、辺野古移設反対の県民が多い。今の状況を打開するには辺野古を問題にするより普天間飛行場を問題にしたほうがいい。

左翼が政権を握ることができているのは辺野古移設反対に尽きる。県民が辺野古移設に賛成するようになれば左翼は県民の支持を失う。

次の県知事選は2年後である。これからの2年間、自民党県連は普天間飛行場は辺野古以外に移設することができない現実を県民に理解させていくべきである。左翼の辺野古の海の汚染被害に対して、宜野湾市民の命の危険性、騒音被害をぶつけるのである。

宜野湾市民の被害をなくすには普天間飛行場の移設しかない。しかし、県外移設、国外移設、閉鎖・撤去は非常に困難であり辺野古に移設するしか現実の選択はないと時間をかけて県民に説明していけば2年後の知事選で自民党県連が勝つだろう。


辺野古問題で左翼と正面から闘っているのは自民党県連ではない。安倍政権である。安倍政権は「普天間飛行場の移設は辺野古しかない」と繰り返し断言しているし、埋め立て工事を着々と進めている。

県民投票で辺野古埋め立て反対が7割になっても埋め立て工事を中止しないで淡々と進めた。左翼に安倍政権は民意を裏切っていると非難されても辺野古埋め立てを進めた。自民党県連は傍観しているだけで安倍政権を支えることはしなかった。

日本は議会制民主主義国家であり、法治国家である。政府、県知事、名護市長の合意には法的拘束力があるが、県民投票には法的拘束力はない。もし、県民投票が政府、知事、市長の合意より有利にするには法律を変えなければならない。しかし、選挙に選ばれた政治家が政治をする議会制民主主義では政治に素人である県民の投票が政府と知事、市長の合意より勝るという法律にはしないだろう。安倍政権は議会制民主主義国家の政府として左翼と一歩も引かずに闘っている。だから辺野古工事は着実に進んでいる。それから逃げてきたのが自民党県連である。だから与党になれないのだ。


左翼が与党でも自民党県連が与党でも辺野古移設工事は着実に進む。そして、完成する。どちらが与党になるかということと辺野古移設は関係がない。ただ自民党県連が2年後の知事選に勝つには普天間飛行場の移設は辺野古しかないことを県民に広めることである。この運動をすぐに始めてほしい。知事選勝利を目指して。うーん、やらないかも。

デニー知事に辺野古移設反対は普天間飛行場の固定であることを認めさせよう

２０１２年に出版した「沖縄に内なる民主主義はあるか」の第五章は「普天間飛行場の移設は辺野古しかない」である。普天間飛行場についての色々な問題を書いた上で、移設できるのは辺野古しかないことを説明した。

目次

普天間飛行場の移設は辺野古しかない

沖縄県の人口の推移・戦前の沖縄の人口は６０万人が限度だった・農業中心の沖縄の人口を推計する・沖縄の人口増加は基地経済が原因・宜野湾市の戦後の経済発展の要因・沖縄に米軍基地が存在している理由・沖縄の米軍基地強化と密接な関係がある旧ソ連圏の脅威的な拡大　・沖縄の米軍基地強化と密接な関係がある中国の勢力拡大・沖縄の米軍基地強化と密接な関係があるアジアの冷戦・沖縄の米軍基地強化と密接な関係があった朝鮮戦争・普天間飛行場強化は共産主義勢力の封じ込め戦略のひとつであった・普天間飛行場の歴史・普天間第二小学校　・普天間第二小学校の移転問題・普天間飛行場のクリアゾーンに人が住んでいるのは誰の責任か

普天間飛行場にまつわる問題を説明した上で、普天間飛行場の移設問題・国外移設運動の歴史・県外移設運動の歴史を紹介した。そして、普天間飛行場の国外移設＝グアム移設は可能か・普天間飛行場の「県外移設」は可能かで国外移設・県外移設が不可能であることを説明し、「辺野古移設は可能か」で辺野古移設は可能であることを書いた。国外移設・県外移設は不可能であり、唯一辺野古移設が可能であることを説明した。

県外移設が不可能であることは２００５年に判明した。

２００５年１１月に、小泉首相は「国内では沖縄が最大の基地負担をしている。それに対しては、やはり沖縄の心情も考えないといけない」と述べ、稲嶺知事の発言に理解を示し県外移設をしようとした。しかし、「総論賛成・各論反対で、沖縄県の負担を軽減するのはみんな賛成だが、どこに持っていくかとなると、みんな反対する。賛成なんてだれもいない。平和と安全の恩恵と、それに見合う負担をどこが負うかだ」と述べ、普天間飛行場を受け入れる自治体がないことを発表した。総論賛成各論反対の本土だったから県外移設は実現しなかった。

普天間飛行場を移設するということは少女暴行をした海兵隊もやってくるということである。「海兵隊は平気で人を殺す」「海兵隊は婦女暴行をする」が左翼によって全国に広まっていた。県外移設はできるはずがないと思っていたが、小泉首相の「総論賛成、各論反対」を聞いて、県外移設はできないと確信した。しかし、県外移設を主張する政治家、識者は多かった。彼らへの批判「県外移設論者たちのずるさ」を掲載した。

県外移設論者たちのずるさ

政府は小泉首相時代と鳩山首相時代に「県外移設」をやろうとしたが移設場所を探すことができなかった。二度も「県外移設」に失敗した政府は「県外移設」を諦めて辺野古移設一本に絞っている。政府が今後「県外移設」を模索することはないだろう。日米両政府は辺野古に移設するまでは普天間飛行場を維持するつもりでいる。沖縄側が「県外移設」を政府に訴えても政府が動くことはありえない。

「県外移設」を断念した政府に「県外移設」を要求しても平行線が続くだけで、時間が無駄に過ぎていくだけである。

「県外移設」を実現する残された方法はひとつしかない。「県外移設」を主張する政治家、団体、識者、マスコミ等が一致団結して「県外移設場所」を探すことだ。移設候補地は国内だから情報は集めやすいし移設候補地に行き来するのも自由だ。「県外移設」を否定している政府に頼らないで、自分たちで移設先を探す以外に「県外移設」を実現する方法はない。

「県外移設」を主張する政治家、団体、識者、マスコミ等が「県外移設」を実現する会を結成して、全力で移設できそうな場所を調査するのが「県外移設」実現のための第一歩である。普天間飛行場の移設候補地を見つけたら、候補地の住民を説得して移設を承諾してもらう。住民の承諾を得たら政府と交渉する。このやり方が「県外移設」を実現する唯一の方法である。

しかし、今まで、「県外移設」を主張している国会議員、県知事を頂点とする沖縄の政治家や団体、マスコミ等が、政府は頼りにならないから自分たちで県外移設場所を探すと発言したことは一度もない。政府が「辺野古移設しかない」と断言しているのにもかかわらず、沖縄の「県外移設」を主張する人たちは自分たちで移設先を探そうとはしない。自分たちで移設場所を探そうとしないのはなぜか。理由ははっきりしている。国会議員、県知事を頂点とする沖縄の政治家や団体、マスコミ等は「県外移設」ができないという現実を知っているからである。馬毛島の例があるように本土の住民は米軍基地への拒否反応は強い。もし、「政府が探さないなら自分たちで探す」と宣言して県外移設場所を探したら、県外移設場所がないことを自分たちで明らかにしてしまうことになる。そして、「県外移設」の運動に自分たちで終止符を打ってしまう。国会議員、県知事を頂点とする沖縄の政治家や団体、マスコミ等はそのことを知っているのだ。だから、自分たちで普天間飛行場の県外移設場所を探すとは絶対に口に出さないのだ。

「県外移設」を主張し続けるためには、自分たちで移設場所を探さないことである。だから、誰ひとりとして「県外移設」場所を自分たちで探そうとは言わない。自分たちで探すとは言わないで、政府に「県外移設」を要求している間はいつまでも「県外移設」を主張することができ、県民の支持を集めることができる。「県外移設」を主張している人たちのずるさを感じる。

普天間飛行場の受け入れに賛成する住民は本土にはいない。普天間飛行場の「県外移設」は不可能である。

「沖縄に内なる民主主義はあるか」

出版してから2年後の2014年11月に県知事選があった。那覇市長であった翁長雄志氏は普天間飛行場の県外移設を主張し、辺野古移設反対で左翼政党と共闘して県知事選に立候補し、当選した。

県外移設ができないことははっきりしているのに翁長氏は県外移設ができると県民に信じさせたのである。県外移設を主張して県知事になった翁長氏であったが、県知事になってから本土の知事と県外移設について交渉したことは一度もない。県外移設ができないことを翁長氏は知っていたのである。県外移設をしようとすれば県外移設ができないことを明白にしてしまう。だから、本土の自治体と交渉をしなかったのである。

県外移設は自民党と民主党の２首相がやろうとしてできなかった。県外移設ができないことは明白である。ところが「辺野古移設に賛成すれば落選する」というのが沖縄の自民党の通説であった。当選するには「辺野古移設に反対する」を選挙公約にすることだった。翁長前知事は当選するために辺野古移設反対を主張したのである。

政治家であるなら県外移設は無理であることが客観的事実であることを県民に伝え、県外移設はできないことを県民に認識させるべきであるのに、県外移設ができるようなイメージを県民に与えたのである。小泉首相が県外移設は無理であると発表してから１５年が経つ。まだ県外移設はできないと断定した沖縄の政治家はいない。

共産党が与党になり政権を握ればフィリピンのように日本の米軍基地を全て撤去することができる。普天間飛行場の閉鎖撤去もできる。共産党が政権党になれる可能性はゼロに近い。だから、閉鎖撤去は無理である。国外移設・閉鎖撤去ができないことは２００５年にはっきりしていた。

県外移設・国外移設・閉鎖撤去はできない。辺野古に移設ができなければ普天間飛行場が固定する。辺野古移設か固定かの二者択一を県民は考えなければならない。

玉城デニー知事は、「辺野古に反対する気持ちそのものは全く変わっていない」と辺野古移設反対である。辺野古移設反対であるなら普天間飛行場の固定を容認しなければならない。ところがデニー知事は「普天間飛行場の一日も早い危険性除去」を主張している。政府は危険性除去するために辺野古移設しようとしている。危険性除去するには普天間飛行場を閉鎖撤去するしかない。

政府は危険性除去として辺野古移設する。政府の危険性除去の解決方法は辺野古移設と決まっている。デニー知事が普天間飛行場の閉鎖撤去を希望するなら辺野古以外の移設場所をデニー知事自身がが見つけなければならない。辺野古移設の代替案を提示する義務がデニー知事にある。政府への要望であってはいけない。

今回の県議会選で自民党県連は「辺野古移設容認」を公約にした。２０１４年以前は辺野古移設反対であった。２０１４年に安倍政権が辺野古移設反対すれば自民党を除籍すると圧力をかけたので自民党県連は移設反対を取り消した。移設反対のリーダーであった翁長雄志氏は辺野古移設反対の主張を通し、自民党を脱退して共産党など左翼政党と共闘して知事選に立候補し勝利した。・・・辺野古移設反対しないと選挙に勝てない・・・が自民党県連内部の本音であっただろう。翁長知事はすい臓がんで死去し、後継者として玉城デニー氏が立候補し知事になった。

翁長氏が辺野古移設反対で当選して６年目で県議選で自民党県連は初めて辺野古移設容認を公約にした。小泉首相が「総論賛成各論反対」で県外仮設から辺野古移設に変更してから１５年、鳩山首相が「県外移設」の約束が果たせなかったことを陳謝して、辺野古移設が民主党政権が決定して１０年目である。１５年前から辺野古移設しかなかったが、やっとのことで自民党県連はまともな公約を掲げた。

これで自民党県連は安倍政権の「辺野古移設が唯一」と肩を並べた。肩を並べただけではない。なんと辺野古移設容認が公約であるのに３議席も増やした。辺野古移設反対は正味期限が切れたようだ。

２年後は県知事選がある。県知事選に確実に勝つためには辺野古移設が唯一であることを県民に理解させることである。辺野古移設しなければ普天間飛行場が固定することを県民に理解させるのだ。理解させるのに最適な場所が県議会であり、最適な人物が玉城デニー知事である。

デニー知事に辺野古移設に理解を求めるのではなく、辺野古移設が唯一ではないというのなら他にどのような方法で普天間飛行場の危険性除去をするのかを県議会で追及するのである。それができるのが自民党県連である。

デニー知事は「工事を中止して、県、日米政府が話し合う」ことを安倍政権に要求している。日米政府との話し合いでデニー知事は日米政府になにを要求するかを県議会で追及するべきだ。日米政府は辺野古移設が唯一であると主張している。辺野古移設が唯一である日米政府に他の方法を要求することはできない。

問題は普天間飛行場の危険性除去である。デニー知事は辺野古移設以外の方法を日米政府に提案しなければならない。もし、提案できなかったら辺野古移設反対を主張する資格はない。

普天間飛行場の危険性除去には県外移設・国外移設・閉鎖撤去の3通りである。デニー知事が苦し紛れに3つの方法を提案すれば、3つの方法が実現できないことをデニー知事に認めさせることだ。

県外移設　本土の自治体と交渉するのは県であって政府ではない。日米政府との対話に提案することはできない。県外移設を主張するならデニー知事が本土の自治体と交渉するように自民党県連は要求すればいい。普天間飛行場を受け入れる自治体が一か所もなければ県外移設ができないことをデニー知事は証明することになる。

国外移設　日米政府が反対である。実現不可能
閉鎖・撤去　日米政府が反対である。実現不可能

県議会で辺野古移設以外に普天間飛行場の危険性除去はできないことをデニー知事に認めさせることが自民党県連がやらなければならないことである。

学校にコロナ亡霊生徒消え

近くの小学校で新型コロナ感染

三線教室から帰ってきてネットを見てびっくり。新型コロナウイルスに感染した男児は読谷村の小学生だという。中部保健所管内在住の１０歳未満の小学生男児が、新型コロナウイルスに感染したというのは昼のニュースであった。保健所は沖縄市にあるし、人口も多いので沖縄市あたりの小学校だろうと思っていた。ところが我が読谷村である。まさかである。

息子にこのことを教えようと電話した。息子はすでに知っていた。男児がどこの小学校の生徒であるかも知っていた。小学校名を聞いて驚いた。なんと、その小学校は近くの小学校だったのだ。いつも小学校の校門前を通っている。毎日見ている小学校の男児が新型コロナに感染したのだ。

今日も小学校の側を通った。車ではなく徒歩で。今日は嘉手納町の南区の公民館で三線教室があった。徒歩で４０分ほどかかる。健康のために徒歩で通っている。

三線教室に行くときは5時過ぎに家を出る。学校はすでに終わっている。しかし、普通なら運動場や広場に小学生が居る。今日は一人も居なかった。異様な風景であったがまさか新型コロナに感染している児童が出たとは想像しなかった。感染児童が出たので中部の小学校が全部臨時休校したのかなと思った。そうではなく。この小学校から新型コロナ感染児童が出たから休校にしたのだ。

近くの小学校の児童が新型コロナに感染したと知ってもなんの恐怖もない。一人暮らしであるし、一日のほとんどは家に居てパソコンを見て過ごしている。濃厚接触をするのはせいぜい居酒屋かスナックである。当分はスナックに行くのを止めよう。コロナ感染しないように気をつければ感染はしない。近くの小学校で感染者が出ても感染しないように工夫すればいいだけのことだ。

読谷村は村のホームページや公式ＬＩＮＥで「村で小学生の感染が確認された」と新型コロナ感染したのが読谷村の生徒であることを発表した。発表した目的は「２次感染、３次感染を予防する」ためである。現在濃厚接触者の確認を進めているという。

コロナ感染拡大阻止＋観光経済復興がデニー県政の使命である

全国の新規感染者数が1，301人となり、最高を記録した。感染者数が急激に増えたので緊急事態宣言を要求する声が増えてきた。

県民に10人の感染者が出た。1日に二桁の感染者は4月15日以来である。週間の新規感染者は23人となり、県が警戒レベルを引き上げる根拠とする7指標のうちの3指標で第2段階（流行警戒期）に当たる。しかし、玉城デニー知事は、警戒レベルの引き上げを見送った。引き上げた方が感染拡大を防ぐことができるのに引き上げを見送ったのである。それには沖縄の深刻な経済問題がある。沖縄経済の主流は観光である。本土からの観光だけでなく中国など外国からの観光増加で沖縄経済は潤っていた。しかし、新型コロナ感染によって最初に外国からの観光は途絶え、本土からの観光も激減していった。5月の観光客は前の年の同じ月と比べ79万900人減って4万4000人となり率にして94．7％の減少となった。6月は前年同月比83・4％（72万4100人）減の14万4100人だった。観光客で賑わっていた国際通りは観光客が居なくなり、ほとんどの店が閉まりシャッター通りと化した。約80店が閉店・臨時休業に追い込まれている。このままでは国際通りの店のほとんどは倒産するだろう。倒産を防ぐには観光の復興しかない。

県は2カ月以上コロナ感染者が出なかった。県内にはコロナ感染者は居なくなったと言える。県内感染は県外の感染者が感染させたと考えられる。コロナ感染を防ぐために県は本土からの観光を制限要請していた。本土からの観光は途絶えていった一方コロナ感染者は二カ月以上でなかった。しかし、7月8日に約2カ月ぶりに2人に新たな感染が確認された。そして、次第に感染者が増えていった。感染は本土で感染した人が沖縄に来て感染を広めるケースであった。

沖縄朝日放送で三人の感染者が出たが、感染源は本土から来たお笑いタレントのはなわだった。東京都在住の女性が東京で感染し帰省した沖縄で家族2人に感染させたケースもある。本土からの来沖者が増えれば増えるほどコロナ感染者は増える。

政府は旅行者を増やす目的でＧｏ ｔｏ トラベルキャンペーンを実施したから沖縄への観光客は増えるだろう。観光客の感染者が県民との濃厚接触により感染者が増える可能性は高くなった。

県は那覇空港でＰＣＲ検査を始めた。検査は１００％正確ではない。コロナ感染者が那覇空港の検査をすり抜けることはあるし、コロナ感染が拡大する恐れは否定できない。

コロナ感染をできる限り押さえる一方できる限り観光客を増やす。これが県の大きな課題である。気になるのは米基地内でコロナ感染者が急激に増えたことである。２３日までに２２５人となった。米軍基地には多くの基地従業員がいる。基地従業員が感染すれば県内に感染が広がる。沖縄県は２５日、新型コロナウイルスの感染が広がっている米軍普天間飛行場とキャンプ・ハンセンの基地従業員を対象に、沖縄市の県中部合同庁舎で無料のＰＣＲ検査を始めた。初日は、対象見込みの８００～９００人である。

米軍関係者と接触する全ての基地従業員のＰＣＲ検査は必要である。基地従業員が感染したら、県内の家族や農耕接触者に感染していく。県内感染を防ぐためにも全基地従業員のＰＣＲ検査はやるべきである。

県は観光復興とコロナ感染拡大阻止という矛盾した政策を実施していかなければならない。デニー県政は大丈夫だろうか。心配なことがある。１月に発生した豚コレラの時は対処を怠ってワクチン注射が遅れ、２か所の養豚場の数千頭を殺処分しなければならなかった。あの時と同じようなことが那覇空港で起こったのだ。

唾液による抗原検査をやる計画であったが、デニー県政は態勢が整わず見送ってしまった。そのためにＰＣＲ検査をすることになったが、ＰＣＲ検査対象者に断られて検査することができなかった。

デニー県政がコロナ感染対策を疎かにして感染が県内に充満したら観光をストップし、県民の行動制限規制をしなければにならない。そうなれば再び経済が悪化する。

治療薬とワクチンができるまでコロナ感染拡大阻止＋経済復興の政策は続けなければならない。半年か一年かまだ分からない。コロナ感染拡大阻止＋経済復興がデニー県政の使命である。

経済悪化　コロナ感染拡大　デニー知事の最悪政治

デニー知事は7月31日に沖縄県緊急事態宣言をした。そして、1週間後の8月7日にPCR検査の濃厚接触者全員実施をやめ、症状のある人に限定して検査することを決めた。理由は重症化リスクがある人と医療・介護従事者を優先するためだ。

デニー知事は7月31日に経済を悪化させ、8月7日には感染者を拡大させるというとんでもない政策を実施した。

デニー知事は7月31日の緊急事態宣言によって、那覇市内の飲食店に営業時間を午前5時から午後10時までに短縮するよう要請した。

緊急事態宣言は観光に最悪の影響を与えた。緊急事態宣言が発令された7月31日から8月3日までの4日間だけで、県内48施設では年内の予約3万2653人のキャンセルが出た。キャンセルに伴う損失額は総額3億3367万円に上る。キャンセルはまだまだ増えるだろう。

政府は7月22日から「ＧｏＴｏトラベルキャンペーン」事業を実施した。同事業は、期間中の国内旅行代金の最大50%が還元される政策である。政府の緊急事態宣言の影響でダメージを受けた地域経済の再活性化を目的に企画されたのがＧｏＴｏトラベルである。沖縄は観光立県である。「ＧｏＴｏトラベル」は沖縄の経済復興のための政策であるといっても過言ではない。ところがデニー知事は緊急事態宣言でＧｏＴｏトラベル効果を潰してしまったのである。

県が緊急事態宣言をしたことによって、人出が減った那覇市の国際通りでは再び自主休業に入る店が増加した。約8割の店が休業した。

休業要請の対象外である国際通り近くのカフェでは開店したが、知事が宣言した7月31日の客はたったの1組だったという。緊急事態宣言後に200件のキャンセルが入り、やむなく休業した飲食店もあった。

デニー知事はコロナ感染拡大を防ぐために緊急事態宣言をしたが、そのために観光客は激減し、それに加えて県民の需要まで減っていって多くの事業者の死活問題になっている。

国際通りの商店街関係者は「緊急事態宣言を出すだけでなく、経済対策も同時に発表してほしい。いつまで我慢すればいいのか分からないのが一番怖い」と述べた。

政府の4月7日の緊急事態宣言でコロナ感染拡大を防ぐことはできた。沖縄では2カ月以上も感染者が出なかった。しかし、観光客は居なくなり、県経済は急激に悪化した。全国も同じように経済は悪化した。緊急事態宣言は経済の悪化をもたらすのだ。5月25日に政府は緊急事態宣言を解除した。そして、7月22日に悪化した地方経済を回復させる政策としてGO　TO　トラベルを始めたのである。ところがデニー知事はGO　TO　トラベルに背を向けて8月1日から県独自の緊急事態宣言をした。経済復興のチャンスを県知事が潰したのである。

安倍晋三首相は、新型コロナウイルス感染が全国的に拡大し、第一波の時よりも感染者が二倍になっているにも関わらず緊急事態宣言をしないで、経済復興を重視し、「緊急事態再宣言を避けるための取り組みを進めなければならない」と述べた。経済復興を重視している安倍首相に対して経済復興を軽視しているデニー知事である。

都道府県		新潟県	0.04	鳥取県	0.00
北海道	1.43	長野県	0.83	岡山県	0.79
青森県	0.08	富山県	2.20	広島県	1.03
岩手県	0.16	石川県	8.08	山口県	0.52
宮城県	0.09	福井県	0.13	徳島県	4.40
秋田県	0.72	愛知県	8.02	香川県	0.52
山形県	0.00	岐阜県	2.37	愛媛県	0.60
福島県	0.49	静岡県	1.45	高知県	2.72
○東京都	13.27	三重県	2.58	○福岡県	12.17
神奈川県	6.38	○大阪府	12.21	佐賀県	5.03
埼玉県	4.67	兵庫県	4.83	長崎県	1.43
千葉県	4.78	京都府	5.27	熊本県	3.03
茨城県	1.92	滋賀県	3.25	大分県	1.41
栃木県	1.55	奈良県	4.81	宮崎県	3.17
群馬県	3.71	和歌山県	1.84	鹿児島県	2.87
山梨県	1.23	島根県	1.34	○沖縄県	33.86

沖縄県は人口10万人当たりの感染者数は33・87人となった。2番目の東京都13・27人を大きく引き離し、7日連続で全国最多となった。東京都の感染拡大が問題になっているが沖縄は東京都の3倍に近い。デニー知事が緊急事態宣言をしたにも

関わらず感染率が全国で断トツの一位である。県の専門家会議のコロナ対策が最低と言われても仕方がない。

緊急事態宣言後にコロナ感染は急激に拡大し、感染率は国内で断トツになった。するとデニー知事は数字では感染数が縮小するが実際は感染が拡大するという県民だましの政策を実施した。

デニー知事は重症化リスクがある人と医療・介護従事者を優先することに決めた。濃厚接触者であっても発熱などの症状が出ていない人の検査はしないというのである。

症状のない濃厚接触者の検査をしないのは検査依頼が増加して、医療機関や保健所が逼迫しているからだという。症状が出ていない人の検査が続くと重症患者の治療が困難になるというのが理由である。検査方法の見直しを提言したのは県専門家会議である。デニー知事と同席した専門家会議委員の沖縄県立中部病院・高山義浩医師は、

「症状が出た段階で検査すれば全く遅くない。症状がある人に対する検査態勢はしっかり守るので協力をお願いしたい」と述べた。

感染病専門の医師とは思えない発言である。感染病の一番の問題は人から人へ感染することだ。感染を防ぐことが感染病専門医師の一番の課題である。ところが高山医師は症状が出た段階で検査しても治療できるから、無症状の時に検査しなくてもいいと述べたのである。高山医師は感染拡大を防ぐ感染病専門医師ではなく治療専門の内科医師のようである。

無症状の感染者は感染者である自覚がないために多くの人と濃厚接触して感染を拡大する。それが新型コロナの特徴である。新型コロナの感染力が高いのは無症状の感染者から感染させるからである。

世界保健機関（WHO）の発表では感染しても30〜50％の人は症状が出ない。新型コロナウイルス感染者のうち4割ほどが無症状の感染者からうつされているという。濃厚接触者であっても症状がなければPCR検査しないという沖縄の感染病専門会議の提案は間違っている。

世界から日本はPCR検査が少ないと批判されていた時でも政府のクラスター対策班は感染者の濃厚接触者を徹底してPCR検査をした。徹底した濃厚接触者のPCR検査が感染拡大を防いだのだ。とこ

ろが濃厚接触者であっても無症状であればＰＣＲ検査をしないという県専門家会議の提案を受け入れた県の政策は感染者を拡大させる政策である。

　那覇市や県医師会は8月1、2日に松山地域の飲食店従業員らを対象にＰＣＲ検査を実施した。松山地域で働くほとんどの人が検査を希望し、２０７６人が検査を受けた。検査の結果８６人の陽性が確認された。８６人を隔離すれば、松山地域にはコロナ感染者が居ないので健全な夜の街になる。２０７６人が検査を受けたのは画期的である。松山地域では安全に飲食できることになったのだ。１カ月毎に検査をすれば観光客から感染したとしても感染者を見つけて隔離するから健全な松山をアピールすることができ、県民も観光客も安心して飲食できる松山地域になるだろう。

　ところがデニー知事は無症状者のＰＣＲ検査はしないという。無症状の感染者が増えると重症患者の治療が困難になるというのである。しかし、無症状の感染者を放置していくと感染が急激に拡大していく。無症状の感染者から老人や疾患者への感染が広がる可能性が高くなる。重症患者が増えるだろう。経済を悪化させる緊急事態宣言をしたデニー知事は今度はコロナ感染者が増える政策をやるのである。呆れてしまうデニー知事の政治である。

　県がやるべきことは松山地域で行った検査のように大規模な検査をし、陽性の人を隔離することである。例え感染率が全国一であったとしても濃厚接触者は全員ＰＣＲ検査をするべきだ。クラスターが発生したら地域全員のＰＣＲ検査をやるべきである。コロナ感染拡大を防ぐのにはそれが一番有効である。

　宜野座村は7日、保育所関係者を対象にＰＣＲ検査を実施した。１５０人が受診した。保育所に娘を通わせている３０代女性は「すぐに検査を実施してもらい、ありがたい」と語った。

　デニー知事の緊急事態宣言は経済悪化を招き、無症状者を検査しないのは感染者拡大を助長することになる。沖縄にとって最悪の政治である。

　感染専門家医師だけでなく観光事業や経済界の意見を聞いた上で沖縄にとって最適な政策を模索するのがデニー知事に求められている。しかし、医師だけの意見を聞き、最悪の政治を実施している。

沖縄県のＰＣＲ検査は人間差別

テレビニュースを見て愕然とした。デニー知事が決めた濃厚接触者に対するＰＣＲ検査は人間を差別する検査方法であったからだ。信じられないことである。

濃厚接触者が医師や看護師など医療関係者であれば全員ＰＣＲ検査をする。しかし、県民の場合は無症状であればＰＣＲ検査をしない。検査をしなければ感染しているかいないかが分からない。分からない状態で生活しろというのである。精神的に不安な生活をすることになる。検査をすることは感染不安を解消することでもある。

濃厚接触者で症状のない人に県が要求したのはそれだけではない。無症状者は２週間は外に出ないで自宅に居ろというのである。感染者が自宅にこもるというのは理解できる。しかし、濃厚接触者全員が感染者ではない。感染していないのに自宅にこもらなくてはならないとはおかしい。検査すれば感染しているかしていないかが分かるのに検査をしないで感染者として扱われるのだ。それは人権蹂躙に等しい。無症状者は感染していなくても２週間の在宅をして会社を休まなければならない。休んでも県から補償金は出ない。濃厚接触者は感染していなくても２週間は収入が断たれるのだ。

濃厚接触者が陽性である確率は過去の実例から見ると最も高いのが１６・７％である。低いのは８・６％である。８０％以上の濃厚接触者は感染しない。８０％の人は感染していないのに２週間も在宅して会社を休まなければならないのだ。明らかに人権蹂躙であるし、人間差別である。

医師中心の県専門家会議は人間差別のＰＣＲ検査方法を提案した。デニー知事は提案を受け入れて、人間差別の政治をデニー知事は実施したのである。

感染率を数字だけ低くする目的で感染専門医師が考え出したＰＣＲ検査方法は人間差別の検査方法である。この事実に気づく政治家、識者が沖縄そして日本にいるだろうか。

八重山は濃厚接触者の全員検査を維持　正しい選択である

県は濃厚接触の無症状者は検査しないことを決めたが、八重山は濃厚接触者を全員検査する従来の方法を堅持することを決めた。中山石垣市長が全員検査を主張し、地元関係者からも県の方針変更に懸念の声が上がっていた。

沖縄で最初に独自の緊急事態宣言したのが中山市長であった。そして、コロナ感染源の店名を発表した市長である。そのことを「内なる民主主義２３」に掲載した

２０２０年０４月１７日

意義ある石垣市長の店名公表

中山石垣市長は１６日、新型コロナウイルスの大規模なクラスター（集団感染）発生の恐れがあるとして独自の緊急事態宣言に踏み切った。

中山市長は、

「市民の生命や健康に大きな危険が及びかねない」

と危機感をあらわにし、

「感染した人から次の人、その次の人へと無自覚にうつす可能性がある。どうしても止めたいので宣言する」

と中山市長は宣言の決意を説明した。

石垣市の新コロナ感染拡大を絶対に押さえたいという中山市長の必死さが溢れている。

中山市長は感染源が石垣市美崎町の飲食店「ヘイランド」と系列店の「ヘイナイト」であることを公表した。３月２２日に従業員の２０代男性Ａ、Ｂが県外から訪れた客と同席したが、客は石垣を離れた後に感染が発覚した。沖縄県は従業員らに３月３１日に「客との濃厚接触者」であると伝え、４月５日まで自宅待機するよう要請した。ところがすでに発症していたＢは飲食店などで会食を繰り返していた。保健所などの調査で、濃厚接触者が市内で１００人以上に上ることが分かった。やはり感染は中山市長が恐れていた通り県外から来た人からだった。

・・・このままだと石垣市は新コロナ感染者が蔓延する・・・

危機感を抱いた中山市長は感染源の店名を公表し、１００人の濃厚接触者がいることを市民に明らかに

した。そして、１７日からは約４万８千人の全市民が２週間の自宅待機するよう異例の要請をした。

新コロナウイルスの感染力の強さを知っている中山市長だから公表したのである。

市内感染を防ぐには感染源と濃厚接触者を公表するべきである。公表すれば市民は緊張し、感染しないように自宅待機、接触回避をするようになるだろう。

県は沖縄初の死者の市町村名を公表しなかった。公表するべきである。確実な情報によると死者は沖縄市民のようである。市町村名を知れば疑心暗鬼による県民の不安がなくなる。

県知事と全市町村長に求められるのが中山市長のように勇気ある感染源、感染者名公表である。

「内なる民主主義２３」

新型コロナ対策に真剣に取り組んだのが中山市長であった。

渡航自粛解除による観光再開に伴いこれまで沖縄本島へ検体を送り２日ほどかかっていたＰＣＲ検査を島内で即日実施できる検査キットと検知機器を導入した。

空港にはサーモグラフィを設置し、降りてくる人は体温を全員チェックできるようにした。さらに、観光客が宿泊するホテルにはおでこに５秒当てると体温が検出される簡易型のカードを配布し、毎日必ずそのカードで検温してもらっているという。

石垣島に観光で訪れ帰宅した人に対し、３日後に必ず宿泊していたホテルから電話をして発熱をしていないか確認している。発熱などの症状が出る２日前から周囲への感染をさせている恐れがあるので、石垣島を離れて３日経って発症していなければ石垣島で感染が広がっていない、と捉えることができると考えているからだ。素晴らしいコロナ感染対策である。

コロナ対策を徹底している中山市長からみれば県の新基準は「感染が拡大することになりかねない」のだ。「石垣市では濃厚接触者を全員検査する現在の方法を維持していきたい」と中山市長は述べている。八重山保健所も県の新基準は八重山では適用しない方針を確認している。竹富町も西表島の集団感染で濃厚接触者全員検査を進めている。西大舛町長は「離島は県のようにはいかない。希望する人は全員に検査を受けさせるべきだ」と述べた。離島だけではない。県全体がそうするべきである。

コンクリートのひび割れた箇所に生えているパパイアである。

築６０年以上の外人住宅に住んでいる。あの頃の建築はずさんであり、裏庭は雑草が生えないようにコンクリートを敷いているが、コンクリートの質は悪く、厚さも薄いのであちらこちらがひび割れしている。ひび割れた箇所には雑草が生えている。定期的に除草剤を散布して雑草を処理しているが、ひび割れが大きい箇所になんと雑草に交じって５、６センチのパパイアの芽が出ていた。雑草を手でむしり取りパパイアを残した。

こんなひび割れにパパイアの芽が出るとは・・・・。パパイアの種はどこからやってきたのだろう。パパイアは雑草のごとくあちらこちらの道路沿いや空き地に生えているが、まさかコンクリートのひび割れに生えてくるとは。不思議である。

せっかく生えているのでひび割れのパパイアがどのくらい成長していくか見ていくことにする。普通に大きくなるのか、それとも大きくなれないのか。もしかすると盆栽のように小さいままなのかも知れない。いや、私と同じ高さにはなるのかもしれない。分からない。

花は咲くだろうか。実はなるのだろうか。実はどのくらいの大きさになるのだろうか。小さいだろうか。パパイアの成長は早いので一年くらいでは結果は出る。水と肥料を上げながらパパイアの成長を見ていこう。まあ、普通の家ではこんなことは起きないだろうな。オンボロな外人住宅だからだな。

新型コロナウイルス対策は感染拡大防止と経済復興の困難な闘い

新型コロナウイルスの感染力が強くこれほどまでに経済を悪化させるとは予想しなかった。感染力がすごい。厚労省で結成した世界初であるクラスター対策班によるクラスター潰しは素晴らしい効果があった。感染症専門家はクラスター拡大防止にほとんど貢献しなかったのに専門家という権威で威張っている。

経済復興のためには人の接触が増えるからコロナ感染は広がる。コロナ感染をできるだけ抑えながら経済復興を目指す。長く困難な闘いがワクチン発明まで続く。

6月4日

昨日中頭病院でカメラによる腸検査をした。座ることができない原因不明の腹痛に苦しんだ二週間だった。検査の結果異常はなかった。腹痛も消えた。血圧の薬を飲んで125であったのに、今は薬を飲まないのに90である。まだ、体は正常に戻っていないようだ。

新型コロナ対策に失敗するはずなのに成功した不思議な国ニッポン

感染者数と死者数である。

○世界
感染者数568万
死亡者数35．5万
○米国
感染者数173万
死亡者数10．2万
○イタリア
感染者数23万
死亡者数3．3万
○スペイン
感染者数24万
死亡者数2．7万
○英国
感染者数27万
死亡者数3．7万
○ドイツ
感染者数18万
死亡者数8529人
○日本
感染者数I、6万
死亡者数852人

圧倒的に日本の感染者、死者数は少ない。これは誰も否定できない事実である。この事実を世界の専門家、マスメディアは5月末に認めざるを得なくなった。

日本の新型コロナ感染死者数が圧倒的に少ないのは2月からずっと続いていたが、その時は日本がPCR検査が少ない、だから感染者数が少ないと専門家やマスメディアは日本政府を批判した。

4月7日に安倍首相が緊急事態宣言をして、国民に自粛を要請した時、規制するのが遅すぎた、規制が甘いと世界の専門家とマイメディアは日本政府を非難し、二週間後の日本は感染爆発が起こると断言した。ところが予想に反して感染爆発は起こらなかった。それどころか、なんと感染者がどんどん減っていったのである。緊急事態宣言は成功し、5月21日に安倍首相は緊急事態宣言を解除した。日本は圧倒的に感染者と死者が少ないことを世界は認めざるをえなくなったのである。世界の専門家の予想を日本は覆したのである。

日本が新型コロナ対策に成功したことを最初に認めたのがWHOであった。

世界保健機関（WHO）のテドロス事務局長は「ピーク時は1日当たり700人以上の感染者が確認されたが、今は40人前後に減り、死者も最小限にとどまっている」と日本が新型コロナ対策に成功したことを認めた。最高の権威のあるWHOが認めたのである。海外メディアも次々と日本の新型コロナの対応は成功であると認めるようになった。

圧倒的に死者数が少ないという事実の前に世界のメディアは日本の新型コロナ対策が成功したことを認めざるをなかった。しかし、感染爆発が起こると確信していた日本がなぜ死者数が圧倒的に少ないのかその理由が分からないために海外メディアは戸惑いを隠せない。

海外メディアは日本の新型コロナ対策が成功したと認めたが、なぜ成功したかの理由を明確に指摘することができない。色々な理由を探すが決定的な理由を指摘することはできない。

5月には感染爆発が起こると確信していたのに、予想に反して感染を封じ込めることに成功したのだから理由を見つけることは困難であるのは当然である。

オーストラリアのABCテレビは、

公共交通機関は混雑し、高齢化率は世界一という脆弱性の中、罰則のない緊急事態宣言を出した日本の対応は「破滅への処方箋」に見えたが、今では「成功の物語」になったと述べ、ノーベル医学・生理学賞を受賞した本庶佑京都大名誉教授も「法的に比較的緩やかなシステムで、死者と感染者がこんなに少ないのは、多くの医学者にとっても謎である」と、日本の成功は「謎」としか言えないと伝えている。

米ブルームバーグ通信は、日本の成功はインフルエンザや結核の感染経路を追う全国各地の保健所が、電話での聞き取りなど「とてもアナログ」な手法で新型コロナを追跡し「地域版ＣＤＣ」とも呼べる働きをしたからであると述べている。

米紙ワシントン・ポストは、志村けんさんや岡江久美子さんら芸能人の訃報が「人々にウイルスの危険性を気づかせた」と指摘した。

英紙ガーディアンは、インフルエンザが流行する冬場や春先の花粉症でマスクを着用し、家に入るときには靴をぬぐという国民の生活習慣が原因であると述べ、休業を決めた博物館や劇場、テーマパークのほか、無観客で春場所を実施した大相撲や開幕を延期したプロ野球など、日本の民間部門は「大規模集会の危険性に早い段階から気づいていた」と指摘している。

英ＢＢＣは、３月に日本の検査数が少ないことを挙げて「実際の感染者数は２８万〜７０万人いる可能性がある」と報じていたが、４月末には日本を「最も健康的な国家」に選出し、「健康に対する意識がコロナ危機を最小限にとどめている」とマスクを着用する文化などを称賛した。

このように海外メディアは日本が新型コロナ対策に成功したことを認めながら、成功した理由を的確に指摘することはできない。日本の成功を「ｐｕｚｚｌｉｎｇ　ｍｙｓｔｅｒｙ」（不可解な謎）とし、「不思議の国ニッポン」と言わざるを得ないのが海外メディアである。

海外メディアは４月７日の緊急事態宣言が日本政府の新型コロナ対策の始まりだと思い込んでいる。しかし、日本の新型コロナ対策は１月から始まっていた。そのことを世界のメディアは知らなかった。２月２６日にクラスター対策班を結成して徹底したクラスター潰しが始まった。クラスター潰しの効果は高く、感染者や死者が少ないのはクラスター潰しによるものである。クラスター潰しの効果をを知らないのが海外メディアである。海外メディアから見れば甘い自主規制によって死者数が圧倒的に少ないように見えるのだ。海外メデイアにとって「不可解なニッポンであり「不思議なニッポン」なのである。

6月6日

コロナ対策に成功しているのにそれを自覚しない不思議な国ニッポン

イギリスの公共放送チャンネル4のリポーターが、日本とイギリスの死者の数を比較したところ英国で大きな話題になった。

日本の人口：1億2600万人
コロナでの死者数：624人
イギリスの人口：6600万人
コロナでの死者数：3万1855人

日本の人口はイギリスの2倍近いのに、死者は1000人未満である。イギリスの死者数は「公式」には3万6000人を超えているが、自宅死や老人ホームでの死者の数を含めていない。本当の死者の実数は6万人を超えると言われている。正確な死者数を比較したら、英国の死者は日本の100倍近いのである。

日本は見逃されている可能性のある超過死があるとしても数十人程度あり、それを加えても、イギリスより極端に少ないのは明確である。英国だけでなく死者数、感染者数とも、欧米とは桁が違うのが日本である。この事実が英国民を驚かせている。

日本は検査数が少ないといった問題があるが、それでも、日本の対策には一定の効果があり、うまくいっていると認めているのが英国民である。

日本の方が人口密度が高い。それに日本は世界で最も高齢者人口が多い。このことはイギリスや欧州の他の国でもよく知られていることである。欧州のニュースやドキュメンタリー番組で高齢化問題を扱う際には、必ず日本が事例として挙がるほどである。それに日本は世界三位の経済大国である。日本産業は原料を輸入し加工して輸出するという加工貿易が中心であるから外国との交流は盛んである。

世界第三位の経済大国であり、人口密度が高く、高齢化が進んでいる日本だから欧米のように新型コロナの死者が爆発的に増えるのは当然であると考えられていた。だから、安倍首相が厳しい規制をしない緊急事態宣言にあきれて、二週間後には米欧以上に感染爆発が起こると予想したのが米欧の専門家とマスメディアであった。

ところが予想に反して日本の新型コロナ感染は桁違いに少なく、さらに経済もかつてのように上向きではないのにもかかわらず、自粛中の経済的な打撃も比較的小さく抑えているのが日本であった。そんな日本に多くの英国民は驚いたという。英国民にとって日本の新型コロナ対策は大成功であるのだ。

イギリス在住の著述家谷本　真由美氏も感染爆発を何度も警告した人物であった。彼女は英国だけでなく他のヨーロッパの国々やアメリカ、さらにアフリカや南米でも、日本の驚異的な現状が大きな注目を集めていると述べている。

世界が新型コロナ対策に成功していると認めているのにそのことに気がついていないのが日本人自身であると谷本氏は指摘している。谷本氏の指摘通りである。日本が新型コロナ対策を米欧のようにやれば数万人の死者が出る可能性があった。１０００人以下の死者であるのは日本政府と国民の新型コロナ対策が成功したからである。しかし、国民はその自覚がない。

安倍晋三首相は「わが国では緊急事態を宣言しても罰則を伴う強制的な外出規制などを実施することはできない。それでもそうした日本ならではのやり方で、わずか１か月半で今回の流行をほぼ収束させることができた」と感染の封じ込めに一定程度以上成功したことを強調した。しかし、安倍首相の支持率は落ちた。政府の新型コロナ対策は失敗したというイメージが広がったのである。新型コロナ対策で成功したのに支持率が落ちたのは安倍首相だけである。世界からは不思議に思われている。

欧米の国々に比べて新型コロナ死者数が圧倒的に少ないことを日本では問題にしない。安倍首相が新型コロナ対策に成功したと主張すると「政府は対策が遅い」と新型コロナ対策は失敗していると非難されるだけである。

死者が非常に少なくて、新型コロナ対策に成功しているのにそれを自覚しない不思議な国ニッポンである。

6月8日

新型コロナ対策に成功したことを説明できない不思議な国ニッポン

WHOが日本の新型コロナ対策は成功していると評価した。WHOは感染病の世界権威の機関である。WHOが日本の新型コロナ対策が成功していると認めると世界の専門家やマスメディアも次々と日本を認めるようになっていった。世界が認めるようになると、日本の専門家や学者も認めるようになった。

世界は日本の新型コロナ感染死者が非常に少ないことを認めたが、死者が少ない原因を知らないし説明することもできない。日本のコロナ対策成功は「2020年最大の謎」であると世界の専門家は首をひねっている。世界の専門家は日本に新型コロナが侵入し、感染が広がった経緯を詳しく観察してはいなかったから知らないのは無理のないことである。であるなら、日本に在住して新型コロナ感染の一部始終を観察していた日本の専門家であるなら日本が新型コロナ対策に成功したことを知っているだろうし、海外に説明することができるはずである。ところが理路整然と説明できる日本の専門家は居ない。不思議である。

京都大学の山中伸弥教授は、

「日本の対策は世界の中でも緩い方に分類されます。しかし、感染者の広がりは世界の中でも遅いと思います。何故でしょうか？？　たまたまスピードが遅いだけで、これから急速に感染が増大するのでしょうか？それとも、これまで感染拡大が遅かったのは、何か理由があるのか」と日本の感染のあり様を仮説化し、それをファクターXと名付けた。山中教授は「ファクターX」となる候補として、次の七点を挙げた。

・感染拡大の徹底的なクラスター対応の効果
・マスク着用や毎日の入浴などの高い衛生意識
・ハグや握手、大声での会話などが少ない生活文化
・日本人の遺伝的要因
・BCG接種など、何らかの公衆衛生政策の影響
・2020年1月までの、何らかのウイルス感染の影響
・ウイルスの遺伝子変異の影響

山中教授が仮説として立てた「ファクターX」については、他の専門家も興味を示している。

新型コロナは直接人から人に感染することははっきりしている。新型コロナは中国武漢で発生して広まった。武漢から風に乗って日本に来て感染していくことはない。中国で感染した人が日本に来て、接触して初めて感染する。中国から来た人に接触しなければ感染はしない。中国観光客等の国内での行動と感染した市民を冷静に調査していけば、日本での感染者が少ない原因も解明できたはずである。

ところが日本の専門家は感染死者が少ないことを解明していないし、死者数が少ないことを世界に説明できない。

日本の専門家は日本のコロナ感染の実態を知らないのである。不思議な国ニッポンである。

世界は日本の感染死者数が少ないことを5月に入ってから認めたが、日本の国内感染死者数が少ないのは新型コロナの感染が始まった時からだった。その事実を認めた私は2020年03月22日に「新型コロナウイルス対策は日本が一番優れているのではないか」をブログで書いた。

新型コロナウイルスが日本と韓国に広がった時から国内外で日本は批判され韓国は褒められ続けている。韓国が徹底してコロナ検査をしたのに日本は非常に少ないことが問題にされた。韓国がおよそ25万件であるのに日本は約1万3000件である。

WHOのテドロス事務局長は感染の拡大を防止するためには感染者の特定が鍵を握るとして、

「検査検査検査検査」

と検査を徹底するよう呼びかけた。

世界では、検査数が少ない日本は安全に対する誤った意識があるのではないかと懸念し、

「日本の問題は、検査をしなければ、たくさんの感染者を見つけられないということだ」(マニトバ大学ジェイソン・キンドラチャック博士)

と批判している。世界に批判されている日本であるが感染数が少ないだけでなく死者も少ない。検査数が少ないから死者数も少ないとは言えない。検査をしないと感染の拡大を防ぐことができないはずなのに検査が少ない日本は死者数が圧倒的に少ない。世

界はその事実に注目していないし、日本の死者が少ない理由を解明していない。

世界の死者数

イタリア人口6048万　死者34056人
中国本土人口13．86憶死者3248人
イラン人口8116万　死者1284人
スペイン人口4666万　死者1002人
フランス人口6699万　死者371人
米国人口3．272億　死者150人
英国人口6644万　死者137人
韓国人口5147万　死者102人
オランダ人口1718万　死者76人
ドイツ人口8279万　死者44人
日本人口1．268憶　死者35人

3月は欧米の国々が感染爆発を起こす前である。日本はI月にはすでに新型コロナ感染をしていた。米欧と同じ対策をしていたら3月の日本は感染爆発をしていたはずである。しかし、感染死者数は感染爆発を起こす前の米欧より少なかったのである。

なぜ、日本は感染者が少ないか。私なりに考えた。

I、第一に国民性がある。日本国民は小さな声で話す。中国、欧米人は声が大きい。声が大きいと唾なども多く吐き出すし、吐く息も大きく広がる。イタリア人やフランス人は挨拶の時に抱き合ったり頬をすり合わせる。感染する確率は日本より高いだろう。

日本人は毎日風呂に入るし、トイレの後は手を洗う習慣があって清潔である。しかし、仏や伊の人は日本人ほどは風呂に入らない。昔に比べて水は豊富になったと思うが日本ほどは清潔ではないだろう。

2、日本国民の新型コロナウイルスに対する意識は高い。政府の注意をよく聞き、感染しないように気を付けている国民は多い。

3、都道府県の知事も積極的に新型コロナ感染の拡大を防ぐ努力をした。コロナ感染が一番多かったのは北海道であったが、鈴木直道知事は拡大を防ぐため「緊急事態宣言」を出して、小中高を休校にしたり、土日の外出自粛を要請するなど政府より先に実行していった。北海道の新感染者は減り続け3月16日には新感染者は0であった。北海道だけでなく他の知事も感染者を出さないように努力した。都道府県の積極的な取り組みも新感染者を押さえる効果があった。

4、政府は検査よりも新たな感染者を出さないことを優先した。感染者が出た時は感染源を突き止めることを優先し、そして、感染者と接触した人物を突き止め、感染の可能性がある人を優先して検査をした。病院の入院患者、診察者、看護師や医師、養護施設の老人や介護者に感染者が多いことが判明したのも政府の努力の結果である。

1、2、3、4の総合で日本では感染者も死者も少なかったと私は考えている。これは日本独自のやり方であり外国の人には理解できないのではないだろうか。そして、安倍政権を批判の対象にしか考えていない日本のジャーナリストも気づいていない。彼らは気づく能力が欠落している。

これを書いた時は政府のクラスター対策班の存在を知らなかった。北海道の新型コロナ対策を指導したのはクラスター対策班であったことを後で知った。クラスター対策班の指導で鈴木直道知事は緊急事態宣言」を出し、クラスター潰しをやることによって新型コロナ感染拡大を防いだ。

クラスター潰しの効果は絶大であり、クラスター潰しが日本の新型コロナ対策に成功した原因である。

中国からの観光客が多い北海道で新型コロナ感染は広がり、そのまま広がれば感染爆発が起きてしまう状態であった。それを防いだのがクラスター対策班の指導であった。ところが専門家とマスメディアはこのことに気づかなかった。

日本の感染病専門家とマスメディアがクラスター対策班によるクラスター潰しの効果に気づかなかったから、

○「新型コロナ対策に失敗するはずなのに成功した不思議な国ニッポン」

○「コロナ対策に成功しているのにそれを自覚しない不思議な国ニッポン」

と呼ばれるようになったのである。

日本の新型コロナ死者が圧倒的に少ないのは当然のことである。ところが説明することができなくて右往左往して、「ファクターX」と名付けてこれから謎解きしようとしているのがニッポンである。あきれるばかりである。

○「新型コロナ対策に成功したことを説明できない不思議な国ニッポン」

と言うしかない。

5月11日

新型コロナ感染対策はPCR検査・ロックダウンしかない世界の公衆衛生専門家が感染爆発を起こさせた

日本はPCR検査数が少ないということで批判され続けてきた。感染が始まった頃は韓国と比較された。韓国は検査数が25万件であるのに日本はわずか1万件しか検査していないと国内外の専門家やジャーナリストは韓国を称賛し日本を批判した。

私の関心は検査数ではなく死者数であった。新型コロナウイルスの怖さは感染にあるのではない。感染すれば死ぬかもしれないから怖いのである。インフルエンザのように死の恐れがないなら誰も新型コロナを怖がらない。死ぬから怖いのである。100万人が感染しても死者がゼロであるなら誰も感染を怖がらないが、1000人感染して100人の死者を出したら非常に怖い。死者が多く出るか出ないかが問題である。死者が少なければ少ないほど新型コロナ対策が優れているとみるべきである。しかし、国内外のマスメディアと専門家は違っていた。

3月15日に日本の新型コロナ感染者の死者は21人であった。韓国の死者は72人である。日本より韓国の死者が3倍である。日本は1億2000万人、韓国は5000万人だから人口を参考にすれば韓国は9倍の死者数であった。死者数からみれば日本の方が新型コロナ感染を押さえている。韓国は検査数は増やしているが検査数の少ない日本より新型コロナ封じには失敗しているとみるのが当然であると思ったが、マスメディアは違っていた。PCR検査の少ない日本を批判したのである。

日本のマスメディアの多くは安倍政権批判に埋没する傾向がある。死者数を問題にすれば安倍政権批判はできない。PCR検査は少ないから批判ができる。だから、マスメディアはPCR検査を問題にしているのだ。死者数が少ないのはクラスター対策班の徹底したクラスター潰しをしたからである。死者数が少ないことを発信しないマスメディアは同時にクラスター潰しの報道も抑えていると私はブログでマスメディア批判を続けた。

クラスター対策班のクラスター潰しを高く評価していた私はジャーナリストや専門家が日本は近いうちに感染爆発を起こすという見解に反論した。

安倍首相が非常事態宣言した時は国内外からの批判は高まり、ニューヨークが二週間後の日本であるとオーバーシュートを予測したジャーナリスト、専門家がほとんどだった。言うまでもなくオーバーシュートは起こらなかった。そうであるのだから日本の新型コロナ対策は正解だったということになるが、オーバーシュートを予測したジャーナリスト、専門家はオーバーシュートが起こらなかった原因を解明するべきであるのに解明はしないでPCR検査が少ないことで安倍政権批判をますます強くしていった。そして、PCR検査の拡大の要求が大きくなっていった。マスメディアだけでなく専門家会議、教授、米国欧州に住んでいる日本人の教授などからもPCR検査の要求が増えていった。

彼らの主張を変に思うようになった。米国、欧州の国々の死者が2万人から7万人であるが安倍政権を批判する連中は死者の多さには何にも感じていないことだ。なんにも感じていないというのは大げさかも知れないが、彼らは死者数の多さを比較することはしないで、感染率、死亡率、感染数の増減の比較に関心を持っていることに気が付いた。彼らはグラフを描いて感染のピークに達したかそれともまだ達していないかを注視しているのだ。彼らは新型コロナ感染を押さえることに懸命になっているのではない。新型コロナの感染の増減を参考にして今後の流れを予測することに興味を持っている。

感染症の専門家というのは感染症を封じ込めるのを最優先に考える医師と思っていたがそうではないようだ。彼らは死者数の少ない日本に対してPCR検査が少ないことを批判し、PCR検査をするように圧力をかけている。死者数が少ないことを称賛しない彼らは何者だろうと疑うようになった。

日本の新型コロナ感染者数が少ないのは検査数が少ないからというのは確かである。しかし、死者数が少ないのはPCR検査数が少ないからとは言えない。政府が発表した死者数は324人であるが本当は350人は居るだろうと言えるかも知れないが1000人も居るとは絶対に言えない。1000人さえ居るとは言えない。1000人でも米国欧州の国々に比べれば非常に少ない。新型コロナ封じに成功しているのは日本であることを容認するべきであるのにＰＣＲ検査数が少ない理由で日本の新型コロナ封じを認めない。ＰＣＲ検査を増やすように政府に要求するだけである。

日本は死者数が少ないのだから感染者数も確実に少ないはずである。新型コロナウイルス感染の死亡率というのは全世界共通しているはずだ。日本だけ特別に死亡率が低くて、感染者は欧米並みに何十万人もいるが死亡者はわずか３２４人というのはあり得ないことである。

感染者が少なければ死者数は少ない。逆に死者数が少なければ感染者数も少ないはずである。逆も真なりである。しかし、専門家は「逆も真なり」を認めない。ＰＣＲ検査数が少ないことで政府を非難し、ＰＣＲ検査の拡大を要求し続けている。なぜ専門家は死者数を無視してＰＣＲ検査にこだわるのか。そんな専門家に疑問を持つようになった私は専門家の肩書に注目した。すると彼らは公衆衛生の専門家であることを知った。公衆衛生について調べた。

公衆衛生は、集団の健康の分析に基づく地域全体の健康への脅威を扱う。健康は多くの機関により、さまざまに定義されている。疾病の実態調査の標準を設定・提供する国際連合の機関である世界保健機関（ＷＨＯ）は、健康を「身体的・精神的・社会的に完全に良好な状態であり、たんに病気あるいは虚弱でないことではない」と定義している。

公衆衛生は多くの分野からなるが、典型的な区分としては疫学、生物統計学、医療制度がある。また、環境・社会・行動衛生、職業衛生（労働安全衛生）、食品衛生も重要な分野である。

公衆衛生は臨床医学のように直接病人を相手にするのではなく、社会的な疾病を調査し、統計によって指標を作って指導する医師である。伝染病（感染症）の病人を治療する医師ではなく、伝染病の感染の拡大を予防する医師である。医師と言うより専門家といったほうがあっている。臨床医が病気を治療するために必要なものは病気の原因である。だから診察して病気の原因を調べる。公衆衛生専門家に必要なものは感染情報である。治療法は決まっている。感染者を見つけて隔離することである。新型コロナならＰＣＲ検査をして陽性の人を隔離することである。

　ＷＨＯはＰＣＲ検査を徹底することを世界に発した。感染病封じ込みには検査をして感染者を隔離することが一番の対処であるのだ。しかし、ＰＣＲ検査には決定的な欠点があった。検査に４～６時間と長く掛かり検査員も少ないということである。新型コロナが侵入した国は感染者がどんどん増えていったためにＰＣＲ検査は追い付かず、新型コロナに感染していそうな市民を検査するのに精一杯になった。欧州では検査して隔離するのが間に合わないくらいにどんどん感染が広がっていった。ＰＣＲ検査で新型コロナを封じることができた国は一つもない。ドイツは最初は無差別にＰＣＲ検査をしていたが新型コロナ感染がどんどん拡大していくと感染症状のある国民を優先して検査するようになった。ＰＣＲ検査は結果が出るのが遅いのでＰＣＲ検査で感染率を出すことはできない。だから地域の感染率を調査する時には抗体検査を行う。ドイツ国内で最大のクラスター（感染集団）が発生したガンゲルトガンゲルトの感染率、致死率を調べるために抗体検査をした。感染率１５％、致死率０．３７％だった。

　新型コロナの死者数と１００万人当たりの死者表である。

新型コロナウイルスの国別死者数と人口比

国名	死者数	100万人当たり死者
スペイン	26,070	555.5
イタリア	29,958	494.4
英国	30,689	461.9
フランス	25,990	388.0
米国	75,670	230.9
ドイツ	7,392	88.9
韓国	256	5.0
日本	577	4.6
中国	4,637	3.3

世界で新型コロナ対策で一番優れていると評価されているのが韓国である。日本は韓国と同じくらいである。欧州で称賛されているのがドイツであるが日本はドイツの１９分の１である。この表を見ればＰＣＲ検査が新型コロナ封じに効果がないことははっきりしている。

　韓国は封じ込めに成功している。しかし、ＰＣＲ検査をしたからではない。ＰＣＲ検査をして隔離している時は感染者は増えていった。韓国が感染封じ込めに成功したのは中国のように携帯電話やＧＰＳ

で徹底的に個人の行動を監視するようになったからである。

韓国政府は、感染者の個人情報や行動情報をシステムで追跡&把握して、自宅アパート・名前・年齢・性別・利用店舗や利用施設などの主な行動履歴をネットに公表する。８００万台超の防犯カメラなどで感染者の行動を監視する。感染者が他の市民と接触をさせないシステムを構築したのが韓国である。韓国はＰＣＲ検査ではなくスマホ、ＧＰＳを利用した監視によって新型コロナ封じに成功したのである。韓国がＰＣＲ検査で新型コロナ感染を封じたというのは嘘である。英国は韓国のＰＣＲ検査を称賛し、ＰＣＲ検査で新型コロナを封じ込めようとしたが失敗し感染爆発を起こした。

公衆衛生専門家のＰＣＲ検査による隔離の次の対策がロックダウンである。だから、米国、欧州の国々はロックダウンをやった。公衆衛生の伝染病拡大を防ぐ方法はロックダウンで終わりである。ロックダウンの次は感染のピークを待ち、ピークが過ぎるとロックダウンを解除しながら経済復興を目指すというものである。しかし、経済復興には人と人との接触が増えるから伝染病が再び拡大する恐れがある。拡大した時には状況に応じてロックダウンをする。公衆衛生専門家たちは9月に感染の第二波がやってくると予想している。

経済復興とロックダウンを繰り返していけば免疫者が増えていき感染者は減少していく。免疫者が5、60％になれば新感染者数は次第に減っていくというのが公衆衛生の伝染病対策論である。

公衆衛生専門家の新型コロナウイルス感染を押さえる方法はＰＣＲ検査をして陽性者を隔離することと人と人の接触を禁じるロックダウンである。ＰＣＲ検査を増やせば増やすほどに新型コロナ感染をおさえることができると信じているのが公衆衛生専門家である。日本、世界の専門家のほとんどがＰＣＲ検査信奉者である。感染爆発が起こったのは新型コロナの感染力が強いからであり、対策が間違っていたからではないというのが彼らの理論であり解釈である。ＰＣＲ検査、ロックダウンをしていなかったら感染者は倍増していただろうというのが公衆衛生専門家の見解である。

公衆衛生専門家が政府にＰＣＲ検査の拡大を強く

要求しているのはＰＣＲ検査が唯一の新型コロナ感染対策と思っているからである。

日本はＰＣＲ検査は少ないしロックダウンも規制が甘いものであった。公衆衛生専門家から見れば、日本は感染爆発が起こる条件が揃っていた。ところが感染爆発が起こらないどころか死者も圧倒的に少ない。公衆衛生専門家が読んだ専門書には書かれていないことが日本で起こったのだ。新型コロナ感染を抑え込むにはＰＣＲ検査とロックダウンしかないのにこの二つを疎かにした日本が感染死者は圧倒的に少ないのだ。公衆衛生専門家は専門書に書いていないことは理解できない。理解するための本がないからお手上げであるし原因を解明することもできない。死者が少ない原因を解き明かすことができない公衆衛生専門家たちはＣＲ検査拡大にすがるしかないのである。ＰＣＲ検査にすがる専門家は奇妙なことを言いだした。

本庶佑京都大学大学院特別教授は「検査することによって陽性の人や過去の感染履歴がある人を正確に把握すれば致死率が下がる。１０％が感染しているようなら致死率は低くなる。すると感染しようがしまいが気にせず、重症者の治療へフォーカスをあてるという戦略に切り替える必要がある。」と述べている。

検査する人を増やせば致死率が落ちるのは当然である。しかし、死者数が減るということではない。陽性者が増えれば入院患者が増える。重傷者が入院できない状態が起こる。本庶教授の言っていることとは逆のことが起きるのだ。本庶教授はＰＣＲ検査を無理に正当化しようとしている。

ＰＣＲ検査を全国民にやるべきであるという専門家の教授もいる。ＰＣＲ検査には長時間かかる。検査員も少なくて検査が全然はかどらない。だから新型コロナ感染を効率よく抑えるために考え出したのがクラスター潰しである。公衆衛生専門家にはＰＣＲ検査がとても効率が悪いことが念頭にないのである。イギリスでは一週間で全国民をＰＣＲ検査をしろと公衆衛生専門家たちが政府に連名で要求した。彼らは現実の地上にはいない。机上にいて、机上の論理を振り回しているだけである。

ＰＣＲ検査数が少ないので感染者数の実態が掴めないと政府を批判するのが公衆衛生専門家である。日本政府の弱点はＰＣＲ検査が少ないことである。

その弱点をつくのが専門家であり、マスメディアであり野党である。

立憲民主党の福山哲郎幹事長は「世界中は無症状・軽症の方も含めて検査して感染者を出し、実態を把握する中で議論している」と日本のＰＣＲ検査の少なさを批判した。

公衆衛生専門家、マスメディア、野党はＰＣＲ検査の少なさで政府を集中攻撃している。政府は強烈な圧力に押されてＰＣＲ検査を増やしつつある。地方自治体もＰＣＲ検査を増やしている。ＰＣＲ検査が増えていけば検査不足への批判は落ち着いていくだろう。ただ、ＰＣＲ検査が増えても新型コロナ感染封じにはそれほどの効果はない。感染者は少し増えるかも知れないが死者数の増減には関係しない。

１１日の東京都の感染が１５人、大阪府の感染がなんとたった１人だという。こんなに感染者が減ったのは国、都、府の新型コロナ感染封じの血の滲むような努力があったからである。ＰＣＲ検査にこだわった連中は新型コロナ感染封じに全然貢献していない。

クラスター対策班による新型コロナ感染避けるための密閉、密集、密接を避けることは国民に深く浸透している。濃厚接触を避けることも国民は認識している。そして、クラスター潰しも地方自治体に浸透している。それが新型コロナ感染拡大を押さえているのである。

日本は新型コロナ対策一辺倒から経済正常化という方向に歩みだした。第二段階に入った。

「特定警戒都道府県」以外(34県)の休業要請の扱い

※終了は一部業種のみを含む

6日で終了	青森、岩手、宮城、秋田、新潟、山梨、長野、静岡、和歌山、岡山、山口、香川、高知、佐賀、長崎、熊本、鹿児島
31日までに終了	(10日)栃木、福井、滋賀、宮崎 (20日)沖縄 (未定)福島
緊急事態宣言中は継続	群馬、富山、三重、奈良 、広島、大分
未定	山形、鳥取、島根、愛媛
要請していない	徳島

国ではなくそれぞれの自治体の判断で経済復興の道を探る。

5月13日

詰まらないＰＣＲ検査拡大要求の の大合唱

予算委員会で、日本はＰＣＲ検査数が他国に比べて非常に少ない。感染者数を１６０４９人と発表しているが本当はもっと多いのではないかという野党の質問に、「報告されているより（感染者の）数が多いのは間違いないが、それが１０倍か２０倍か３０倍かは誰もわからない」と答弁したのが新型コロナウイルス感染症対策専門家会議の尾身茂副座長である。小見副座長は実際の感染者は何倍であるか誰も分からないと答えたのである。それが専門家会議のトップである。専門家会議は公衆衛生の専門家たちである。

新型コロナウイルス感染は日本だけではない。世界中の国で感染している。

外国の感染者数と死者数を参考にすれば公衆衛生が得意とする統計と確率を利用して日本の感染者数を推測することができる。「誰も分からない」は公衆衛生専門家として恥である。

日本が発表した感染者数は１６０４９人、死者数は６７８人である。感染者数は死者数の２３、７倍である。

世界の国々の感染者数と死者数の比率。

米国
感染者１４０万人　死者数８万３０１９人
　１６、７対１

ドイツ
感染者１７万３０００人　死者数７７５４人
　２２、３対１

韓国
感染者１０９６２人　死者数２５９
　３０、５対１

英国
感染者２２万６０００人　死者数３２６９２
　６、９対１

フランス
感染者４２３万人　死者数３９万人
　１０、８対１

イタリア
感染者２２万１０００人　３０９１１人
　７、Ｉ対Ｉ

驚いたことに倍率で大きいのは韓国だけである。韓国以外の国の倍率で計算すると日本の感染者数は小さくなってしまうのだ。死者数の比率から見れば日本のほうが欧米のよりPCR検査数は多いことになる。欧米は感染者数が爆発的に増えたためにPCR検査数を増やさざるを得なかったし、PCR検査は感染拡大に追い付けなかった。欧米のPCR検査の実数が日本より多いからといってそれだけで日本を批判することはできない。

屋形船で新型コロナ感染者が見つかった時、屋形船に乗っていた人をPCR検査した。観光バスやタクシーの運転手が見つかった時には会社員全員をPCR検査した。そして、新たな感染者を見つけた。日本は初期段階から感染者を見つけたら感染経路を調査してクラスター潰しを徹底した。クラスター潰しのためのPCR検査が新型コロナ封じ込めの最高の方法であった。だからPCR検査数は少なくても死者数が少ないのである。

PCR検査数が多いと称賛されている韓国の倍率で計算すると648×30、5＝19764人である。日本の感染者数は韓国より3715人少ないだけである。10倍どころか2倍にもならない。それなのに「主要国の中で、正確な市中感染率を推定できていないのは日本だけである。早く広範囲な検査を実施し、何人が感染しているのか正確な情報を得る必要がある」の大合唱である。

PCR検査が少なくても外国のPCR検査による感染者数と死者数を参考にすれば日本の感染者数を推測することができる。私でさえ知っている程度の統計学でできる。統計学の専門である公衆衛生専門家が知らないというのはおかしい。専門家会議の副座長が実際の感染者は最低10倍、最高で30倍もあることを匂わす言動を予算委員会でしたが、PCR検査なしにはなんの予測も対策も立てることができないのが公衆衛生専門家である。

専門家は正確な情報がほしいからPCR検査を増やすように要求するがPCR検査は新型コロナ感染者を見つけるための検査であって統計を取るための検査ではない。それに、PCR検査は新型コロナ感染を封じることができないどころか欧米のように感染爆発を起こさせてしまう。権威だけ振り回して新型コロナ封じになにもできないのが日本の公衆衛生専門家である。

5月26日

感染症専門家が新型コロナ感染封じを知らないという驚くべき真実

元国立感染症研究所研究員岡田晴恵白鴎大学教授は新型コロナウイルス感染についてテレビで何度も発言している。彼女の発言は専門家としての意見であり、感染病専門家は彼女と同じような意見をマスコミで述べている。公衆衛生・感染病・疫病の専門家のほとんどは岡田教授と同じ考えである。専門家の理論は長い年月の中で積み上げられた理論である。その理論を学んだ専門家が同じ意見になるのは当然である。岡田教授がテレビで話したことを批判する。

1月22日

岡田晴恵「ヒトからヒトへに確かに感染したが、限定的だ！感染例は患者と濃厚接触者、感染は限定的なもの！どんどんうつっていく状況ではない」

専門家の考える新型コロナの感染は一人から二人、二人から四人と累乗的に増えることである。最初に日本国民が感染するのは中国からやって来た観光客などである。観光客の数は日本国民の人口に比べれば少ない。それに新型コロナに感染している観光客は一部であり、全員ではない。だから感染は限定的であり、感染がどんどん拡大している状態ではない。

岡田教授の指摘は外国から侵入してきたすべての感染病に言えることであり、新型コロナに限ったものではない。感染病の専門家の普通の判断である。

2月22日

岡田晴恵教授

「既に隠れ感染者は万単位でいる」、「政府は早期拡大期と言っているが既に拡大期に入りつつある」

(当時の日本の累計感染者数は132名だったが、日本はPCR検査が少ないから万単位の感染者を見逃している！既に隠れ感染者が万単位でいる！既に感染拡大期だ)

2月13日に東京でタクシー運転手の男性（70代）の新型コロナウイルス感染が確認された。都がすぐに取り掛かったのは感染経路であった。1月18日に行われた屋形船での個人タクシー組合の新年会に中国の観光客が乗っていたことが判明した。

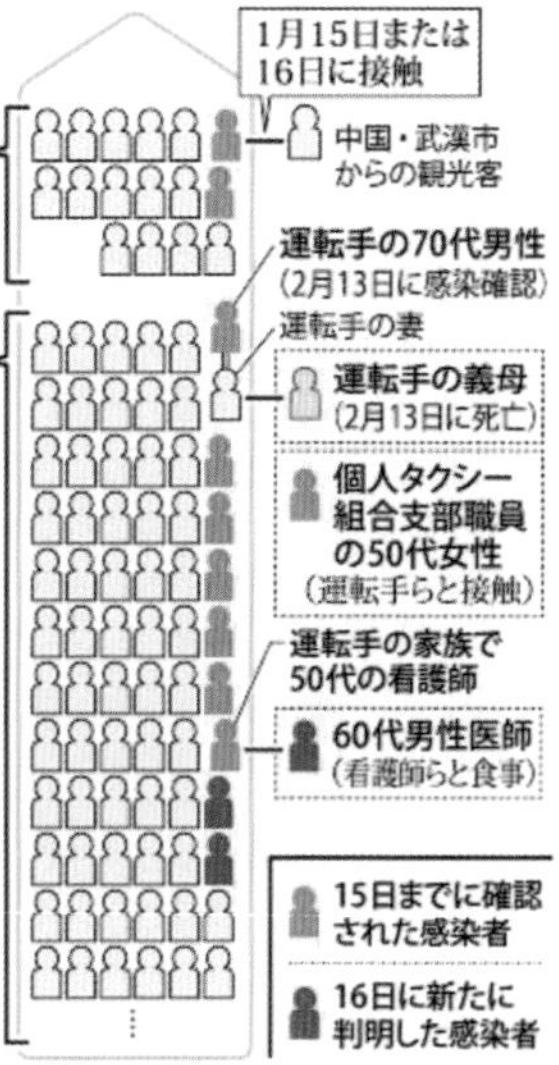

1月18日に新年会があった屋形船と感染者の状況

都は屋形船に乗っていた客を調査してＰＣＲ検査をした。すると１０名以上の感染者が分かった。ＰＣＲ検査は屋形船に乗船した市民だけではなかった。屋形船で感染した市民との濃厚接触者も検査をした。運転手らが所属する組合に勤務する女性ら新年会に参加しなかった人からも感染が確認されたのである。

屋形船感染を見ると岡田晴恵教授の言う通り既に隠れ感染者は万単位でいる」かも知れないと思うし、「日本はＰＣＲ検査が少ないから万単位の感染者を見逃している」というのも納得できる。しかし、ＰＣＲ検査は数分ではできない。検査に４時間から６時間もかかり検査時間が非常に長い。短期間での大量の検査が不可能であるというＰＣＲ検査には決定的な弱点がある。岡田教授は万単位の感染を見逃しているというが無差別な検査で万単位の感染者を見つけるには数百万のＰＣＲ検査をしなければならない。その事実を無視した発言である。

最近、新型コロナウイルス感染後にできる抗体を調べたところ陽性率は東京都の５００検体で０．６％であった。とするとＰＣＲ検査で１０００人検査して６人の感染者しか見つけることはできないということである。Ｉ万人の感染者を見つけるには１００００÷０、６×１００＝１６６６６６６となりおよそ１６０万件の検査が必要である。５万人なら８００万検査が必要である。ＰＣＲ検査は無差別検査に不向きな検査方法である。

検査時間が長いＰＣＲ検査の効果的な検査は感染率の高い市民を検査することである。それがクラスター潰しである。都はタクシー運転手が新型コロナに感染したことが分かると、彼が感染した場所を探した。屋形船に中国観光客が乗っていたことが分かると屋形船がクラスターであると判断し、屋形船のお客を探してＰＣＲ検査をした。陽性の市民が出ると、市民との濃厚接触者を探しＰＣＲ検査をした・・・。これがクラスター潰しである。

岡田教授流のＰＣＲ検査をしていたら東京は新型コロナ感染者が米欧のように増えていただろう。

４月１３日

４月７日に安倍首相は非常事態宣言をした。海外のような厳しいロックダウンをしないことに国内外の専門家から一斉の非難が巻き起こった。内容は岡田教授の、

「ニューヨークの今の惨状は２週間後の東京だ。地獄になる」

と全く同じだった。岡田教授のような専門家たちは日本が２週間後には感染者１３万８８３６人、死者５４８９人に増加し、感染爆発を起こすと断言したのである。いや、これは少ない。ニューヨーク州の人口は１９４５万人である。日本がニューヨークのようになるとは人口比も計算するから８０万人以上感染者が出るということになる。

５月１６日で感染者は１万６２８５人である。なんと７８万人以上の開きがある。公衆衛生専門家は科学者であることに誇りを持ち、新型コロナの感染予想も科学的に計算して予想している。直感で予想しているわけではない。ということは専門家の科学的な公式は根本から間違っているということになる。

５月７日

岡田晴恵教授

「韓国は強いリーダーシップを持つ指揮官を置いて徹底してやってきました！やはり初期対応の違い、検査をして隔離する繰り返しが大事なんだ」

え、４月１３日に日本はニューヨークのように感染爆発が起こると断言していたのに、ニューヨークのようにならなかったことを説明するのではなく、日本より感染者数が少ない韓国と比較している。検査して陽性者を隔離する繰り返しは韓国だけでなく米国、欧州の国々もやった。しかし、感染爆発が起こった。ＰＣＲ検査では新型コロナは感染爆発を起こすことを米国、欧州で実証されている。そのことを岡田教授は深刻に考えないといけないのに日本より感染者の少ない韓国と日本を比べている。日本の感染者数は１万４１１９人、死者は４３５人、韓国の感染者数は１万０７７４人、死者は２５２人であ

る。確かに日本が韓国より感染者は多いが日本も韓国も１万人台であり死者は両国とも５００人以内である。日本と韓国に大差はない。米国や欧州と比べれば日本と韓国は同じといってもいいくらいである。それなのに岡田教授は日本と韓国に大差があるように説明している。二週間後にはニューヨークのようになると断言した教授なのだから本当はニューヨークと日本を比べるべきである。日本がニューヨークのように感染爆発すると断言したことを胡麻化すために韓国と日本の比較にすり替えたとしか考えられない。

岡田教授が堂々と居直るのは日本の感染専門家のほとんどは岡田教授と同じ考えだからである。日本だけでなく世界の感染専門家が岡田教授と同じである。ＰＣＲ検査をして、それでも感染が増えていったらロックダウンをする。かれらの教科書にはクラスター潰しの理論はない。だからクラスター潰しの効果が彼らには理解できない。

政府は新しい感染病新型コロナを古い知識で判断する感染専門医師とは決別するべきである。

政府は２５日に首都圏の１都３県と北海道の緊急事態宣言を解除した。これで全国が解除されたのである。これで新型コロナ感染問題は第二ステージに移った。第一ステージは経済を犠牲にして新型コロナ感染拡大を押さえるのが目的であった。第二ステージは新型コロナを押さえた状態を保ちながら段階的に経済を再生することである。第二ステージで絶対に避けなければならないのは緊急事態宣言を出すような状況にならないことである。

飲食店、キャバレー、トレーニングシムなどの濃厚接触をする営業を許可し、将来的には野球も観客動員を許可するようになれば感染の可能性は高くなる。国民に接触の自粛を要請しても無理である。経済再生を実現するためにはクラスター対策班を中心に４８都道府県に新型コロナ感染対策チームを結成して徹底して新型コロナ感染を封じることである。日本はそれができる。

5月15日

緊急事態宣言解除　日本は再び奇跡を起こす

日本は圧倒的に死者数が少ない。韓国、台湾も少ないが日本は2国のようなスマホを利用した監視システムを使わなかった。個人情報を監視するという人権侵害があるからだ。

日本は人口が1億2000万人でありかつ世界第三位の経済大国である。新型コロナウイルスの感染拡大を押さえるのが困難な国でありながら死者が5月15日で687人である。米国8万6541人、英国3万3614人、スペイン2万7321人、フランス2万7425人、ドイツ7，928人と米欧の国々に比べれば日本の死者数は圧倒的に少ない。新型コロナ対策を称賛されているドイツと比べても一桁少ない。この少なさは奇跡といっても過言ではない。感染者数が少ないのはPCR検査が少ないからと批判することができるが死者数の少なさは胡麻化しはできないから認めざるを得ない。日本は新型コロナ感染封じに奇跡的に成功したのである。

新型コロナ対策は第二段階に入った。第一段階が医療崩壊をさせないためのの感染封じだった。クラスター対策班が計画した新型コロナウイルス対策の目標図である。

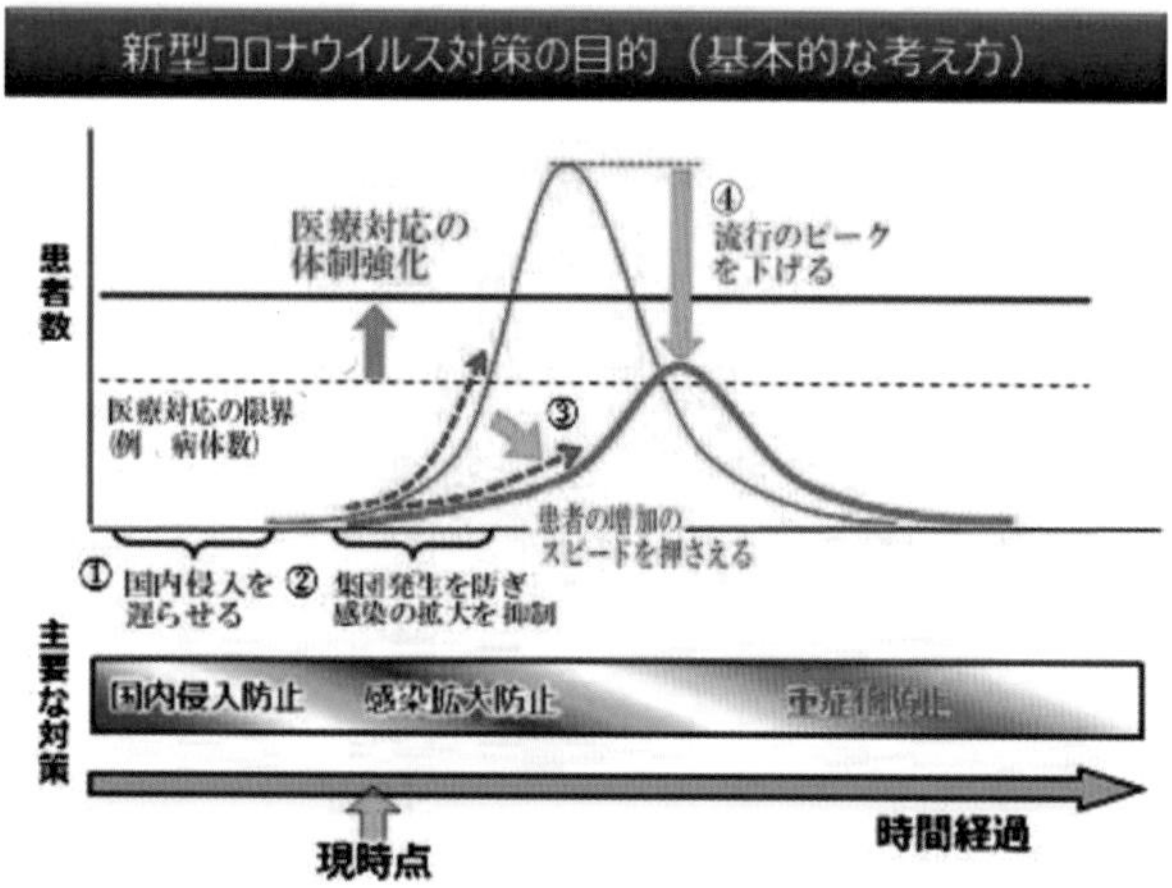

クラスター潰しを徹底することで米欧よりもピークを遅らせると同時にピークを下げることであった。そして、点線の医療崩壊より下にピークを下げるこ

とだった。中国からの新型コロナであったらクラスター潰しだけで成功していたはずである。しかし、途中で米欧からの新型コロナの侵入があり、東京、大阪を中心に全国に広がっていった。市民の中に深く浸透した新型コロナは感染経路不明が増えていった。政府はクラスター潰しだけでは感染を押さえることができないと判断し、非常事態宣言をした。非常事態宣言によって一日７００人近くまで上がっていった感染者が次第に減り、二桁台まで落ちた。医療崩壊は起きなかったのである。クラスター潰しと非常事態宣言は日本に奇跡を起こしたのである。

　ピークを越えたので政府は緊急事態宣言を３９県に解除することを決定した。新型コロナ感染封じの第一段階から経済再生の第二段階に移ったのである。第二段階に入っても緊急事態宣言はしないだろう。日本はクラスター潰しの徹底で再び軌跡を起こす。

　献血された血液で新型コロナウイルス感染後にできる抗体を調べたところ陽性率は東京都は５００検体で０．４％であった。この発表に元国立感染症研究所研究員で白鴎大教授の岡田晴恵氏は、９９・４パーセントの人がかかっていないから、まだ流行は来てない」と解説し、秋冬、低温乾燥の１１月以降に非常に大きな山になる可能性が危惧されると予測した。岡田教授は感染症の専門である。感染症専門家はほとんどが岡田教授と同じ予測をしている。専門家たちの予測は「第二波は必ずやってくる」である。安倍首相が非常事態宣言をした時に日本はニューヨークのように感染爆発が起こると豪語したのは国内外の感染症専門家である。ＰＣＲ検査とロックダウンが新型コロナ封じの方法だと教わって来た彼らはクラスター潰しの本当の効果を知らない。クラスター潰しを徹底していけば第二波は起こらない。

　韓国で２０代の男性の新型コロナ感染が発覚した。防疫当局がすぐに取り掛かったのが感染経路であった。梨泰院のクラブではしごしたことを突き止めるとクラブを調査し、クラブに来た人間を探して全員ＰＣＲ検査をした。防疫当局は、陽性反応した人たちの携帯電話会社とカード会社にデータの提出を要請し彼らを監視した。警察の協力を得てクラブ利用者全員を捜し出して検査を受けさせる方針である。これまでに約３万５０００件の検査を実施し、１３１人の感染者を見つけた。調査は続行中である。

　一人の感染者から感染経路を調査し、クラスターを見つけ、クラスターに居た人を探し出して検査する。検査した人が陽性ならその人と濃厚接触をした人も調べる。これがクラスター潰しである。クラスター潰しなら感染者131人の中の一人を見つければ感染者131人を見つけることができるのだ。

クラスター潰しをやれば感染爆発が起きるようなことはない。PCR検査して陽性者I人を隔離するだけでは感染を止められない。クラスター潰しによって130人を早く見つけなければ、感染がどんどん広がっていく。日本はクラスター対策班がクラスター潰しをやったから欧米のような感染爆発は起きなかったのだ。クラスター潰しを徹底してやる韓国も感染爆発になることはない。

日本は新型コロナ感染者が1％未満である。感染が拡大する可能性はとても高い。その中で政府は緊急事態宣言解除を39県にやり、残りの都道府県も21日に解除する予定である。解除すれば人と人の接触が増え感染のリスクが高くなる。しかし、韓国のクラスター潰しを見れば分かるように、感染者が多くても感染者の一人を見つければ感染者を一網打尽にすることができる。だから感染爆発には絶対にならない。

緊急事態宣言をやらざるを得なかった原因は中国からの感染封じに集中している時に、米国や欧州から新しい新型コロナが侵入していたことである。侵入させたのは外国人だけではない。米欧に旅行した人や仕事に行った人間も多くいた。感染者が市民の中に紛れ込んだので、感染経路が複雑になり、感染経路不明も多くなった。気が付いた時にはすでに感染拡大していた。そのためにクラスター潰しでは新型コロナ封じが困難になった。

新型コロナが欧米から侵入していた3月と現在は状況が違う。欧米からの侵入は遮断している。国内の感染だけを対象に対策を立てていけばいい。都道府県も濃厚接触、感染経路、クラスターをしっかりと理解して、新型コロナ感染対策としてのクラスター潰しを実践できるようになっている。感染者が出ると素早くクラッター潰しをやるだろう。事業家も新型コロナ感染をしないように色々工夫している。

日本は新型コロナ感染を低く抑えながら経済を活性化させていく。確実に。世界が日本の奇跡に驚くだろう。

困った

ハパイアはすくすくと育っている。毎日水をあげている。困ったことになった。パパイアの苗を二つもらってしまった。それが困ったことである。

もらいたくてもらったのではない。もらいたくないがもらったのである。パパイアは大きいのがあり、このパパイアがあるからコンクリートの割れ目に生えたパパイアがどのように成長するかを観察して楽しんでいるのだ。もし大きいパパイアがなかったら小さなパパイアを花園に移している。

私の家は防音工事をしている。工事をしている左官がパパイアの苗の鉢を二つ持って来た。私にくれるという。パパイアの苗は欲しくなかった。しかし、断るわけにはいかない。にっこりと作り笑いをして、

「ありがとう」

と言ってもらった。しかし、植える場所がない。困ったものだ。暫くは鉢で育てていこう。

韓国

徴用工判決問題

慰安婦問題

問題にするのは徴用工についてではない。徴用工裁判が日本と韓国で判決が下ったことである。日本の判決が正しいか、韓国の判決が正しいかというのも問題にしない。

日本の判決は日本政府にとって正しいことであり、韓国の判決にどのように立ち向かうかを問題にする。

どんな内容であるにせよ。とにもかくにも判決は下った。判決が下った後は日本政府はどうすべきか。国民はどのように考えるべきかが問題である。

韓国よ　日本企業資産の現金化は安倍政権の厳しい制裁が待っている

日本政府と韓国政府の緊張が歴史上最高に高まっている。国交断絶に発展しかねないほどの緊張である。緊張の始まりは日本政府が２０１９年７月に半導体やディスプレイの主要素材となるＥＵＶ（極紫外線）用フォトレジストやフルオリンポリイミド、高純度フッ化水素など３品目について、韓国へ輸出する際には個別に許可をとるように規制を強化したことであった。そして、韓国をホワイト国（輸出手続き優遇国、グループＡ）リストから除外した。すると韓国では不買運動が始まり、日本製品の販売が急落していった。韓国政府は日本をホワイト国から除外した。

日本と韓国の対立は高まっていった。対立を緩和するために２０２０年５月に韓国大統領府は「日本が輸出規制を行う中、日本側の指摘を韓国政府はすべて解消した。輸出規制の原状復帰などの措置を速やかにとるべきだ」と促し、「日本政府が懸案の解決に積極的になるための必要十分条件を韓国側はすべて示した。輸出管理分野での懸案を速やかに結論づけ、より発展的な方向へ日韓両国が進むことを希望する」と述べて、問題を解決するための方法と立場を５月末までに明らかにするように日本側に要求した。しかし、日本政府はなにも示さなかった。三品目の輸出規制と不買運動は現在も続いている。

日本と韓国は緊張状態が続いているが緊張状態を一気に高めるかも知れないことが起ころうとしている。それは徴用工訴訟による日本企業の資産差し押さえによる現金化である。

元徴用工の訴訟は最初は日本で行われた。２００７年に日本の最高裁は日本企業が賠償する必要はないと判決した。ところが日本の判決に不満な元徴用工側は韓国で訴訟を起こしたのである。日本政府は外国である韓国での裁判を認めていない。日本企業に賠償を求め、資産を差し押さえて現金化することを認めた判決書類の受け付けを日本政府は拒み、日本製鉄に書類が届くことはなかった。

書類受付を拒否された韓国は、大邱（テグ）地裁浦項（ポハン）支部が日本製鉄への財産差し押さえ命令の「公示送達」を決めた。公示送達とは、被告側が書類の受け取りを拒否した場合、裁判所のホームページなどに一定期間、公示することで受け取ったとみなす手続きである。公示期限は8月4日午前0時で、その後、「売却・現金化」に向けた次の段階に進むことになる。

韓国の判決を認めていない日本政府は、もし韓国が「売却・現金化」をすれば韓国へ制裁すると宣言している。

制裁は、ビザなし渡航の禁止、送金停止、関税引き上げ、日本国内の韓国企業の資産差し押さえ、韓国への直接投資規制などがあり、このような制裁をすれば日本と韓国の断交に発展する可能性が高い。安倍政権が断交に発展するかもしれないほどの制裁をやるには理由がある。日本政府として韓国で元徴用工の裁判をしたことが絶対に許すことはできないのだ。日本と同じように弁償をしなくてもいいという判決であったなら日本政府は制裁をしなかっただろう。しかし、韓国の判決は日本企業に賠償を命じ、賠償しない日本企業の資産を差し押さえて売却して現金化し、元徴用工側に賠償することを認め、売却できる手続きに入ったのだ。日本の判決と違った。そして、日本企業の資産を売却することで賠償させようとしているのである。日本政府が絶対に認めることができないことである。

徴用工問題は日本で起こったことである。韓国で起こった問題ではない。日本で起こった問題は日本の司法で裁かれなければならない。韓国の司法で裁いてはいけない。

司法の内容は国によって違う。日本の司法を制定するのは日本の国会であり、韓国の司法を制定するのは韓国の国会である。日本の司法は日本で起こった問題を裁き、韓国の司法は韓国で起こった問題を裁く。日本の司法で韓国内で起こった問題を裁くことはできないし、韓国の司法で日本で起こったことを裁くことはできない。だから日本で起こった元徴用工の問題を韓国で裁判することはできない。日本で起こったことを外国である韓国の司法で裁判することができないのは世界の常識である。

日本の司法でしか裁くことができない徴用工問題を韓国で裁いたのである。同じ内容の裁判を二国で行うということは法律が違うから違う判決になるのは当然である。日本にとって日本の判決が絶対的なものであるが韓国は韓国の判決が絶対的なものになってしまう。

韓国が韓国の判決に従って日本企業に賠償させることになれば賠償しなくてもいいという日本の判決は韓国の判決に従属することになる。日本は独立国家であり外国である韓国の法律に従属することは絶対に許されない。安倍政権は独立国家としての威信を守るために韓国が日本企業の資産を現金化したら国交断絶を辞さない厳しい制裁をするつもりである。

制裁は日本の独立国家としての威信を守るためである。ところがこの重要なことを認識している日本の専門家はいない。不思議である。

夕刊フジは、

戦時中の「徴用」は国際法にも国内法にも合致している。日韓の請求権問題は、1965年の日韓請求権・経済協力協定で「完全かつ最終的に解決」している。日本政府は無償3億ドル、有償2億ドルの計5億ドル（当時のレートで約1800億円）を韓国政府に提供した。

韓国政府はこの巨額資金と、日本の技術やノウハウをもとに「漢江（ハンガン）の奇跡」を成し遂げた。元徴用工に資金が渡らなかったのは、一方的に韓国政府の問題である。

ところが、韓国最高裁は2018年10月、これを無視した異常判決を出し、日本企業の資産が現金化される動きが進んでいる。

と、1965年に5億ドルを韓国政府に提供した時に元徴用工問題は解決していると主張している。韓国政府が日本企業に賠償金を要求したのではない。韓国の司法が賠償の判決を下し、日本企業に賠償金を払わせようとしている。政治ではなくて司法の問題である。

夕刊フジは戦時中の「徴用」は国際法にも国内法にも合致していると述べているが戦時中の国際法の問題ではない。日本で起こったことを韓国の司法で裁いたことが国際法に違反しているのである。国際法に違反した判決で日本の判決を否定して従属させようとしているのが根本的な問題である。日刊フジは韓国で徴用工裁判をしたことが日本に取って断じて許されないことを理解していない。

産産経新聞ソウル駐在客員論説委員の黒田勝弘氏

は「発展のルーツは日本資産」というタイトルの記名コラムで、敗戦後に日本人が韓半島（朝鮮半島）を離れる時に残した巨額の財産が米国を経て韓国側に譲渡され、これが経済発展の基礎になったと指摘している。（日本が残した）資産総額は当時の通貨で52億ドル、あるいは約800億円といった数字が算出されているが、金融専門家に聞くと今なら数千億ドル（数十兆円）を下らないと述べ、

「韓国が手にした膨大な日本資産を考えれば、最近の徴用工補償問題など今さら韓国で日本企業の資産差し押さえもないだろう」と、韓国経済は日本の資産をもとに発展してきたのだから、日帝強占期の強制徴用被害者の損害賠償も自主的に解決するべきだと主張している。

日刊フジと産経新聞は莫大な日本資金が韓国に流れたのだから元徴用工への賠償はすでに終わっていると述べ、日本が賠償する必要はないと主張している。両社はいわゆるお金の問題に終始している。元徴用工賠償判決はお金の問題ではない。日本の独立国家としての威信の問題である。残念ながら日刊フジと産経新聞はこの深刻な問題に気付いていない。徴用工裁判はすでに日本で行われ、最高裁が賠償する必要はないという判決を下したことを日刊フジと産経新聞は知らないのだろうか。知ってはいるが韓国の判決は正当であると思っているのだろうか。

茂木敏充外相は3日、韓国の康京和（カン・ギョンファ）外相との電話会談で、「（日本企業資産の）現金化は深刻な状況を招くので、避けなければならない」と通告した。

菅義偉官房長官は、

「韓国側の判決と関連する司法手続きは明確な国際法違反だ。現金化は深刻な状況を招くため避けなければならない」

と述べ、解決は韓国側がやらなければならないと、

「韓国側に早期に解決策を示すよう強く求めていく立場に全く変わりはない」

と述べている。

韓国が日本企業の資金を現金化した時に安倍政権は徹底した制裁をするはずであるしするべきである。日本が独立国家であることをあざ笑う韓国の行為を絶対に許してはならない。日本の司法が韓国の司法

業に実害が出た場合、断固たる対抗措置を取るべきである。

韓国のネットユーザーは「韓国は日本に十分に機会を与えた。でも日本が応じなかったのだから当然の結果。もし日本が報復するなら、不買運動で韓国内の日本企業をすべて追放すればいい」「過去を反省しない国は滅びるということを国際社会に教えてあげるべき」「韓国はフッ化水素の国産化にも成功した。日本が輸出をしなくても、韓国人は自分たちで作り出せる能力と持っている」など強気な声が数多く上がっている。韓国のネットユーザーは資金の現金化に対する日本の報復と考えているが報復と言う程度の問題ではない。日本の司法が韓国の司法に従属させられるという日本にとって最大の屈辱を韓国はもたらそうとしている。絶対に許せない韓国の行為に安倍政権は国交断絶も辞さない厳しい制裁をしていくべきである。ネットユーザーの予想をはるかに超える制裁を日本政府はする。安倍政権の厳しい制裁を考えれば韓国ネットユーザーはのんびりとして可愛いものである。

日本の共産党や左翼系の弁護士、学者、評論家は徴用工問題を巧みに人権問題に転嫁して世界共通の問題であるようにイメージさせ、日本と韓国の間には司法が絶対に越境することができない国境があることをうやむやにして、韓国最高裁の賠償金支払いの判決を正当化している。日本政府も日本企業も韓国最高裁の判決に頭を下げろと繰り返し主張しているのが左翼連中である。

しかし、日本人は日本の司法判断を守らなければならないと主張し、韓国の司法判断は否定するべきであると主張する保守を見たことがない。左翼の巧みな韓国の判決正当化に反論する保守が居ない。日本の司法を守っているのが唯一安倍政権である。

韓国の不正な徴用工判決と闘っているのは安倍政権だけである。文政権を非難し、韓国との絶縁を主張する保守はたくさんいるが、彼らは感情的な部分が強いだけである。日本が独立国家であり法治国家であることを誇りにして韓国の徴用工判決を厳しく批判する日本の保守は居ない。

日本政府が韓国に制裁するのは当然である　独立国家としての威信がかかっている

徴用工裁判問題は実は単純な問題である。

日本も韓国も三権分立国家である。そして、独立国家である。日本の法律を韓国に適用することはできないし、韓国の法律を日本に適用することもできない。当たり前のことである。当たり前のことを基礎にして考えれば徴用工裁判問題は簡単にけりがつく。

韓国元徴用工の裁判で日本は２００７年に判決し、韓国は２０１８年に判決した。

日本の最高裁は日本企業は元徴用工に賠償義務はないと判決

韓国の最高裁は日本企業は元徴用工に賠償義務はあると判決

日本の判決と韓国の判決は違った。それだけのことである。

文大統領は、韓国は三権分立国家だから司法の判断に行政は介入できないと述べ、日本企業の元徴用工への賠償を認めた。文大統領は正しい。行政が最高裁の判決を変えることはできない。８月３日には元徴用工側が差し押さえている日本企業の株を現金化することを許可した。許可を行政の韓国政府が止めることはできない。それが文大統領の立場である。

日本の最高裁は賠償義務はないという判決を下した。日本政府は日本の最高裁判決を守る義務がある。絶対にだ。

日本の最高裁は日本企業は元徴用工に賠償する必要はないと判決を下した。元徴用工が日本企業が承知しないのに資産を奪うことは許されないことである。日本政府にとって日本企業の資産を現金化して元徴用工の収入にすることは許してはならない行為である。国内であれば元徴用工の行為を政府が止めることができる。しかし、外国である韓国では直接止めることはできない。

独立国家、三権分立国家である日本は外国の韓国の地であっても日本の判決を破り、違法な行為によって日本企業の資産を奪うことは許せない。直接元徴用工側に制裁を加えることができればいいのだが外国だからできない。日本政府にできることは韓国が違法行為をやったと解釈して韓国に制裁することである。

もし、資金の現金化になにもしなければ韓国の判決を容認することになる。それは日本の判決が韓国の判決に従属することになる。韓国の法が上で日本の法は下ということだ。日本政府としては絶対に容認できないことである。

日本政府は日本が独立国家であることの威信をかけて制裁をしなければならない。韓国の判決が正しいか否かではない。日本企業の資産の現金化は日本の最高裁判決を破るからである。安倍政権は独立国家としての威信をかけて韓国に制裁行為をするのだ。制裁をしなければ、安倍政権は独立国家としてのプライドを喪失した政権になってしまう。韓国に従属した政権として歴史に残るだろう。汚名政権にならないために安倍政権は制裁をしなければはならない。

菅官房長官は日本企業に賠償を命じた韓国人元徴用工訴訟問題を巡り、韓国の裁判所による資産の差し押さえ手続きが完了したことについて、「明確な国際法違反だ。現金化に至れば、(日韓関係に)深刻な状況を招くので避けなければならない」と述べた。深刻な状況とは安倍政権の制裁が強烈であり韓国社会が深刻な状況になるということだ。

このことにやっと気づいたのが文大統領である。文大統領は8月15日、日本の植民地支配からの解放を記念する「光復節」の式典で、大法院判決を尊重するとの立場を改めて強調。「被害者が同意できる円満な解決策」を日本と協議する用意があり、「日本と共に努力する」と演説した。判決が下りた時に安倍政権が協議を申し入れたが、「韓国は三権分立の国家であり、司法の判決に行政が関わることはできない」と協議を断った文大統領である。今頃になって円満な解決のために日本と協議をするというのは呆れるしかない。韓国内の徴用工裁判は韓国の問題であり韓国内で解決するべきであると安倍政権はすでに宣言している。安倍政権が協議に応じることは絶対にない。協議をしたとしても韓国で解決しろというだけである。そして、現金化したら韓国を制裁すると忠告をする。それだけのことだ。

韓国が安倍政権の制裁を止めるには資産の現金化を止める以外にない。

徴用工問題では日本も韓国も最高裁で判決を下した。つまり両国とも徴用工問題は法的に解決したのだ。行政は法に従わなければならない。日本政府は日本企業の資産が現金化された時は韓国に制裁を加えると判決が下った時から明言している。現金化されなければ制裁はしない。日本政府の態度は決まっている。

韓国政府が日本政府の制裁を受け入れる覚悟があれば現金化を容認すればいい。制裁を受け入れたくなければ元徴用側が現金化することを止めさせればいい。止めさせるには賠償金を政府やそれ以外の団体が払うことが必要になる。それは韓国政府が考え努力することであって日本政府には関係ない。

それだけのことである。

残念なことがある。日本の専門家やジャーナリストが法的には日本、韓国で解決したことを認めたうえで、日本政府はどうするべきか、韓国政府はどうするべきかを論じていないことである。

韓国の判決を批判する根拠として、日韓の請求権問題は、１９６５年の日韓請求権・経済協力協定で「完全かつ最終的に解決」していることをあげる。最終的に解決したのだから賠償金を請求するのは間違っているというのだ。しかし、判決は下ったのである。裁判の途中であるなら元徴用工に賠償しなくてもいいという判決を導くために主張してもいいが、判決は下った。判決をどんなに批判しても批判が正しい理論であっても元徴用工訴訟で韓国の最高裁が下した判決が覆るものではない。裁判は終わったのであり、批判してもなにも変わらない。

韓国の判決が正しいか正しくないかはどうでもいいことである。日本の判決と韓国の判決を比べることもどうでもいいことである。重要なことは日本政府は日本の判決を死守することである。死守しなければ日本の法治主義が崩壊する。大袈裟に言えば法治国家ではなくなる。元徴用工の最高裁判決を絶対に死守して判決を裏切る行為をしてはならない日本政府である。それが法治国家日本の行政の使命である。この重要な問題を真剣に追求する専門家、ジャーナリストが日本には居ない。

徴用工問題は日本で起こったことである。日本で起こったことを韓国で裁判をすることができるか。本来はできない。二か国で裁判をすれば今回のように違う判決が出る可能性が高い。それが二国間の対立を生み出し、最悪の場合は国交断絶、戦争に発展する可能性がある。国際法では国と国は平等であり国が国を裁くことを禁じている。

韓国は日本を加害国、韓国を被害国と位置付けている。加害国と被害国の判決が違うのは当然である。それを避けるために裁判は事件が起こった国で裁判をするのが定説である。しかし、元徴用工裁判は加害国と被害国の二か国で行われたのである。この矛盾を黙認しているのが専門家、ジャーナリストである。逆のことが韓国で起こった時、韓国だけでなく日本でも裁判をしていいのかと問題にする専門家、ジャーナリストは皆無である。。

韓国での裁判を正当化するためにつぎのように説明する。

主権国家は他の主権国家を国内法廷で裁くことができない。それが主権免除と呼ばれる国際法原則であると述べた後に、元徴用工弁護団は、あえて、個人が、私企業を訴える形をとることによって、請求権協定の枠外と主張する請求権の確立を狙ったというのである。その戦略が奏功し、韓国大法院は、請求権協定の枠外の請求権だという論拠で、今回の決定を行ったと説明している。

もっともらしい説明であるが、肝心ことが抜けている。日本で起こったことをなぜ韓国で裁判することができたかである。その説明はしていない。個人が、私企業を訴える形をとることは日本でもできる。日本でやっても韓国大法院と同じ判決が下るなら日本でやればいい。韓国でやることはない。しかし、韓国でやった。日本国内で起こったことを韓国の法律を適用したのが徴用工裁判である。主権国家は他の主権国家を国内法廷で裁くことができない。日本で起こったことは韓国で裁くことはできない。

個人が私企業を訴える形をとっても日本で起こったことは韓国の法律で裁くことはできない。ところが個人として訴えれば韓国でも裁けるようなイメージを振りまいている専門家が多い。

韓国の判決を正当化する専門家、ジャーナリストは、日本の最高裁判決で日韓請求権協定で実体的な個人の賠償請求権は消滅していないと判断したことを重視する。しかし、最高裁が元徴用工に賠償しなくていいという判決を下したことは無視する。裁判でもっとも重要な点は内容ではない。判決の結論である。結論は賠償しなくていいなのだ。

韓国大法院が賠償しろという判決を下したことを重視するのであるなら日本の最高裁は弁償しなくていいという判決を下したことも重視するべきである。しかし、彼らは日本の判決は無視する。

韓国の徴用工裁判を正当化するために、

「徴用工裁判は韓国人が独りよがりに過去を蒸し返して起こされたものじゃなくて、実は日本の最高裁の判決がその基礎になっている。日本の判決では法として賠償を認めることはできないが個人の請求権はある。だから、企業に賠償を交渉する権利はあるとしている。このことを拡大解釈して、韓国の大法院は日本の最高裁が言っている内容を土台にして弁償するように判決をした」

と専門家は説明している。

日本の法律は日本の国会でつくり、韓国の法律は韓国の国会でつくる。お互いに独立した関係が法律である。韓国の大法院が日本の最高裁の判決を土台にすることはない。土台にすれば日本国会でつくった法律に韓国の大法院が従属したことになる。独立国家韓国の恥である。韓国大法院の判決を正当化するのに独立国家としてやってはいけないことをやったようにいうのである。

法には国境がある。日本の法が韓国に適用されることはないし、韓国の法が日本に適用されることもない。日本で起こったことは日本の法で裁き、韓国で起こったことは韓国の法で裁く。それが鉄則だ。鉄則を破ったのが韓国である。鉄則破りを正当化しているのが日本の専門家、ジャーナリストである。

彼らが韓国大法院の判決の正当化に頑張っても、現金化されれば日本政府は制裁をする。制裁を非難しても制裁を止めることはない。日本で徴用工裁判をするのは正しい。韓国で徴用工裁判をするのは間違っている。これが徴用工裁判問題の根本である。

「慰安婦は性奴隷」を挺隊協が元慰安婦たちに強引に言わせた事実が判明した

朴槿恵は２０１３年２月２５日に東アジア初、韓国史上初の女性大統領に就任したが、セウォル号沈没事故への対応不備や崔順実ゲート事件など一連の不祥事により、２０１７年３月１０日に大統領弾劾が成立して憲法裁判所に罷免された。朴槿恵の弾劾・罷免に伴う２０１７年５月９日の大統領選挙で当選し大統領になったのが文在寅（ムン・ジェイン）氏だった。文大統領は韓国の左翼勢力が支持する左翼系の政治家である。

安倍政権は文政権、韓国左翼と熾烈な戦いを展開している。

最初に仕掛けたのは安倍政権である。

安倍政権は韓国が不正輸出していることを理由に半導体３品目の輸出規制を厳格化した。そして、日本政府が注文を検査して輸出するか否かを決めるようにした。それだけではない。安倍政権は貿易を優遇するホワイト国から韓国を除外したのである。韓国政府にとって予想外の安倍政権の厳しい措置であった。韓国政府も対抗して日本をホワイト国から除外した。そして、韓国の左翼勢力は日本旅行の中止運動・不買運動を展開した。

不買運動によって韓国からの日本旅行は９０％以上も減り、日本商品の売り上げも激減した。日本ビール業界にとって韓国は最大の輸出市場だったが、不買運動のあおりで２月は９２．７％減、３月は８７．１％減と大幅減が続いた。日産自動車は経営が行き詰まり韓国から撤退する。ユニクロも売り上げががた落ちした。

日本に行かない。日本の商品を買わないという運動だから「反日」運動であるはずだが韓国の不買運動は「反日」運動ではないと宣言している。不買運動は「反日」ではなく「反安倍」というのだ。不買運動大会のプラカードには「安倍の真の目的は軍国主義の復活」、「日韓軍事協定破棄で東北アジアの平和と未来を開いていこう」といった主張が書かれている。不買運動を展開している左翼は明確に「日本社会、日本人」と「安倍政権」を区別しているのである。そもそも安倍政権を軍国主義と決めつけるのがおかしい。安倍政権は日本国民の選挙によって誕生したのである。軍国主義になりえるはずがない。日本は議会制民主主義国家であり軍国主義の政権になるのは不可能である。

掲げているプラカードは「ノー　アベ」である。

議会制民主主義の安倍政権を軍国主義呼ばわりすることでしか非難することができないのが韓国左翼である。不買運動は韓国左翼の反安倍政権運動だ。

安倍政権と韓国左翼の戦いの始まりは半導体３品目輸出規制の厳格化から始まったのではない。文政権の前の朴槿恵（パク・クネ）前大統領の時に始まっている。元慰安婦を金銭保証することによって左翼の挺隊協から元慰安婦を引き離して挺隊協を弱体化させようとする作戦が朴前大統領時代にあった。左翼の挺隊協の弱体化を仕掛けたのは安倍首相ではなかった。朴前大統領であった。

朴前大統領は、慰安婦問題を「最終的かつ不可逆的な解決」をするために、慰安婦被害者支援財団「和解・癒やし財団」を設立して、日本政府が拠出した１０億円で元慰安婦や家族に支援金を支給した。元慰安婦には１億ウォン（約９８０万円）、遺族には２０００万ウォン（約２００万円）を支給した。支給受け入れを表明したのは３４人であった。生存している元慰安婦は４７人であるから７２％の元慰安婦が支給を受け入れたのである。わずか１３人が支援金が支給されていなかった。もし、朴政権が続いていたらほとんどの元慰安婦が支援金を受け取り挺隊協は崩壊していたはずである。

支援金を受けた元慰安婦は反日運動から離れることになる。72%以上の元慰安婦が反日運動を展開している挺隊協を離れてしまったのだ。「和解・癒やし財団」のために挺隊協が危機的な状態になっていたのだ。元慰安婦が離れていくことに危機感を抱いた挺隊協は文政権に圧力をかけて「和解・癒やし財団」を強引に解散させた。

安倍政権と朴政権の日韓合意による「和解・癒やし財団」設立が挺隊協を弱体化したのは確実である。日韓合意を破棄しないと挺隊協が崩壊していただろう。しかし、朴政権は失墜し左翼が支持する文大統領政権になると事態が一変した。

文政権は「和解・癒やし財団」を安倍政権との協議をしないで解散した。文政権は安倍政権との日韓合意を一方的に破棄したのである。これまでに安倍政権が支出した10億円の内約5億円が元慰安婦らに支給されていたが、文政権は慰安婦から支援金を回収しなかったし、日本政府に返済すべき10億円を返済しないどころか残りの5億円さえも日本政府に返済しなかった。

国と国の合意は政権が変わっても引き継ぐ義務がある。しかし、文政権は日韓合意を破棄したのである。合意破棄は許されないことである。安倍政権が文政権を信頼しなくなったのは慰安婦問題の日韓合意破棄が原因である。文政権は信頼できない。文政権とは協議はできないし日韓合意はできない。それが安倍政権の結論である。

半導体3品目の輸出検査を日本政府がするとしたが、安倍政権は輸出検査について文政権とは協議をしなかった。3品目が不正に輸出されていることを文政権に通告した後に、いきなり輸出規制の決定を文政権に通告をして検査を実施した。通常であるなら文政権との協議をしていただろう。しかし、文政権に一方的に日韓合意破棄をされた安倍政権は協議なしに一方的に3品目の検査を決めたのである。そして、ホワイト国除外を一方的にやったのである。安倍政権の左翼政権との対決は本気である。妥協のない戦いをする気である。徴用工裁判で日本企業の資産を現金化した時に安倍政権は厳しい制裁をやることは確実である。

安倍政権と韓国左翼との戦いが熾烈になりつつあるときに思わぬところから挺隊協あらため「日本軍性奴隷制問題解決のための正義記憶連帯」を根底から揺るがす人物が登場した。その人物がなんと挺隊協と共闘してきた元慰安婦の李容洙（イ・ヨンス）さん（91）である。

李容洙さんは韓国国内はもとより、アメリカ合衆国下院121号決議や女性国際戦犯法廷など、国際社会への発信活動において中心的役割を果たした元慰安婦であり、挺隊協になくてはならない人物である。その李容洙さんが旧「韓国挺身隊問題対策協議会」（挺対協、現在は「日本軍性奴隷問題解決のための正義記憶連帯」）の元代表である尹美香（ユン・ミヒャン）氏を痛烈に批判したのである。

李さんはこれまで参加してきた水曜集会について「寄付も被害者のために使われたことがなく、どこに使われたのか知らない」と話し、今後は参加しないと表明した。挺対協については「30年にわたり、だまされるだけだまされ、利用されるだけ利用された」と批判した。

「挺隊協がこれまで募金をなぜするのかも知らずに元慰安婦らは30年間利用されてきた。裏で(元慰安婦たちを)操って利益だけを得る者がいる」と述べ、「挺隊協はどんな権利があって慰安婦被害者らを利用するのかわからない」と声を荒げた。

「日本と韓国は隣国で、学生はその国の未来だ。慰安婦問題の真実について学生たちに知ってもらうことは非常に重要だ。両国が仲良くする中で学生たちには真実を正しく知ってもらいたい」と強調した。

慰安婦被害者を支援する市民団体「正義記憶連帯」の前身である「韓国挺身隊問題対策協議会」のころから代表を務めた与党「共に民主党」の尹美香比例代表議員には、李さんが寄付金を不正に流用した疑いを提起した後から様々な疑惑が噴出した。

日韓合意に関しても、「10億円が日本から入るのに、(尹）代表だけが知っていた。被害者がその事実を知るべきなのに彼らだけが知っていた」と暴露した。10億円の問題については別の元慰安婦の女性が今年3月、韓国の文喜相（ムン・ヒサン）議長あての手紙を書き、財団が現金を支給していた当時、

「尹氏から電話がかかってきて『おばあさん、日本の金を受け取らないでください。挺対協にお金ができれば、私たちが与えますから』と言いながら絶対に受け取らせなかった」と訴えたという。

李さんともう1人の元慰安婦の話から分かることは元慰安婦集団と挺隊協とは別の団体組織であり、挺隊協は元慰安婦の生活や人権を守るための団体ではなく元慰安婦を左翼運動に利用している団体であったのだ。挺隊協は元慰安婦が望む「和解・癒やし財団」から支援金を受け取ることを禁じた。

李さんは、世界で常識になっている「慰安婦は性奴隷」についても決定的な発言をしている。

「どうして私が性奴隷なのか。とんでもない話だ」

李さんは慰安婦は性奴隷ではなかったと断言したのだ。元慰安婦であった李さんが性奴隷ではなかったと発言したことは「慰安婦は性奴隷」が間違っていることになる。「慰安婦は性奴隷」は挺隊協がねつ造して世界に広めたのである。

挺隊協は1990年に設立した。設立後に元慰安婦を集めた。元慰安婦は挺隊協が募集して集めたのであり、元慰安婦たちが立ち上がって団体を設立したのではなかった。挺隊協は従軍慰安婦は日本兵の性の相手をした女性たちであり、日本軍の犠牲者であると日本を非難する目的で設立したのだった。ところが挺隊協の目論見は失敗した。日本軍専属の強制売春婦というだけでは世界の関心は小さかった。

世界の関心を高め、日本軍国主義批判を世界に広めるためには従軍慰安婦では駄目だと知った挺隊協は世界の関心を集めるために新しい方法を考え出した。それが「慰安婦は性奴隷」である。「慰安婦は性奴隷」は挺隊協結成時にはなかった呼称である。

「慰安婦は性奴隷」を最初に国連に広めたのは挺隊協ではなかったし韓国人でもなかった。戸塚悦朗という日本の弁護士だった。戸塚は1992年2月の国連人権委員会で、朝鮮・韓国人の戦時強制連行問題と「従軍慰安婦」問題をNGO「国際教育開発」の代表として初めて提起し、日本政府に責任を取るよう求め、国連の対応をも要請するなど、今日の慰安婦問題に多大な影響を与えた。慰安婦の呼称として「性奴隷(Sex slaves)」を提唱し、日弁連や国連に使用を働きかけた。「性奴隷」は国連で大きな反響だった。

国連で大きな反響があったので挺隊協「慰安婦は

性奴隷」を強調するようになった。元慰安婦たちは「性奴隷」として集められたのではなかったのに、挺隊協は元慰安婦に性奴隷だったと言うように強制したのである。李さんの「どうして私が性奴隷なのか。とんでもない話だ」発言は、性奴隷ではないのに性奴隷と言うように強制されたことに対する反感である。

元慰安婦たちの実態をよく知る日本人がいる。その臼杵敬子である。彼女は次のように書いている。

挺対協が喧伝していた「慰安婦は性奴隷だった」という表現も日本側を頑にした一因だったと思います。この表現は元慰安婦に本当に失礼であり、人権に対して鈍感なものだと私も思っています。

元慰安婦たちは苦しい環境の中でも精一杯の抵抗をしていたし、自我を持って生活していました。例えば元慰安婦の金田きみ子さんは日本兵と恋人関係になりました。休日には2人でデートし、写真館で貸衣装を着て記念撮影をしたと聞きました。私の知る限りでは、ハルモニで「性奴隷」という表現を〝良し〟とする人はいませんでした。

臼杵氏は元慰安婦たちを取材した日本人である。彼女が取材した元慰安婦たちは挺隊協が主張する「慰安婦は性奴隷」に反発していたのである。しかし、元慰安婦たちの口は封じられ、挺隊協と左翼によって「慰安婦は性奴隷」が全世界に広まったのである。

国連で「慰安婦は性奴隷」を最初に発言した戸塚悦朗氏は、

２００４年より国際人権政策研究所事務局長。国際人権政策研究所は、戸塚が民主党本岡昭次元参議院議員に依頼してつくった機関である。

２００５年、龍谷大学法科大学院教授、

２０１３年、日本融和会ジュネーブ国連代表。

２０１９年公開の慰安婦問題を扱ったドキュメンタリー映画『主戦場』に出演した。

元慰安婦が性奴隷で日本軍に弾圧されたことを訴えて立ち上がり、元慰安婦たちを支援する目的で挺隊協を設立したのではなかった。元慰安婦たちが居ない状態で挺隊協を設立し、その後に元慰安婦を集めたのである。

慰安婦は性奴隷ではないが明らかに「日本軍性奴

隷制問題解決のための正義記憶連帯」は解散するべきである

韓国挺身隊問題対策協議会(挺隊協)は2018年7月、2016年に設立した日本軍性奴隷制問題解決のための正義記憶財団と組織統合し、現在の名称に改名した。慰安婦=日本軍性奴隷と決めつけているのが正義連である。

元慰安婦李容洙氏は、「どうして慰安婦が性奴隷なのか。どうして汚らわしい性奴隷とするのかと聞くと、(正義連またはユン・ミヒャンが)米国人たちが恐ろしく思うように』と言っていた。どうして私が性奴隷なのか。とんでもない話だ」と「性奴隷」という命名に対する侮辱感を示した。

元慰安婦本人が慰安婦は性奴隷ではなかったと断言したのである。本人が言うのだから慰安婦は性奴隷ではなかったのである。李氏の発言は韓国の多くのマスコミで報道された。慰安婦は性奴隷ではないが明らかになった。正義連が元慰安婦支援団体であるならば李氏の発言に従い早急に「性奴隷」を削除しなければならない。いや、削除だけでは済まされない。正義連が「「日本軍性奴隷制問題解決のため」の団体であるというなら、慰安婦は日本軍性奴隷ではなかったのだから元慰安婦には必要のない団体だから解散するべきである。でなければ慰安婦ではなく日本軍性奴隷だった女性を見つけて問題解決のために運動すればいい。一人も見つからないだろうが。

正義連は元慰安婦支援団としては失格である。元慰安婦には必要のない団体である。

性奴隷ではなかった元慰安婦に性奴隷であったというように強制し元慰安婦たちを苦しめたのが挺隊協である。

2015年12月の日韓合意の際に、慰安婦は「性奴隷」ではないという日本側の主張を韓国政府が受け入れた。日韓合意文にも「性奴隷」という表現は盛り込まれていなかった。日韓合意に危機感を抱いた挺隊協グループは2016年6月9日に「日本軍性奴隷制問題解決のための正義記憶財団」を設立した。2年後に挺隊協と合流して日本軍性奴隷制問題解決のための正義記憶連帯(正義連)に改名した。挺隊協グループが慰安婦は性奴隷であるに固執したから正義連に改名したのである。正義連の慰安婦=性奴隷への固執は元慰安婦李氏の「どうして私が性奴隷なのか。とんでもない話だ」発言で吹き飛ばされた。これからの韓国では「慰安婦は性奴隷ではなかった」が広がっていくだろう。

慰安婦が性奴隷でなかったのは歴史的事実である。慰安婦が性奴隷であったというのは日本左翼弁護士が国連ででっち上げたものである。それが日本左翼によって韓国に輸出され、挺隊協や左翼組織によって韓国全土に広められた。韓国の教職員組合は日本と同じく左翼である。生徒に徹底して慰安婦=性奴隷教育をした。若者たちが慰安婦=性奴隷と信じているのは教育のせいである。

韓国・世宗（セジョン）大の朴裕河（パク・ユハ）教授は慰安婦を「売春婦」などと表現したために高裁で名誉毀損の罪で有罪判決を受けた。最高裁に上告したが、元慰安婦が慰安婦は性奴隷ではなかったと発言したのである。最高裁では無罪になる可能性がある。

延世（ヨンセ）大学社会学科の柳錫春（リュ・ソクチュン）教授は「旧日本軍の慰安婦被害者は売春の一種」と発言したために、大学側が停職1カ月の懲戒処分を下した。、学生と市民団体は「処罰が軽すぎる」として罷免を求めている。慰安婦被害者を支援する団体「正義記憶連帯」も「処分が遅く、罷免が妥当だ」と遺憾を表明している。しかし、慰安婦は性奴隷ではなかったのだから柳錫春教授の主張は正しい。大学側の停職1カ月は不当である。

慰安婦=性奴隷を韓国の若者は信じている。学校で教えられているからだ。だから、教授が慰安婦は売春婦であったというと反発するのである。しかし、元慰安婦が「慰安婦は性奴隷ではなかった」と発言した。そして、教授たちが次々と慰安婦は売春婦であったと主張し、本の出版もしている。慰安婦問題を象徴する少女像が置かれたソウルの日本大使館前の「水曜集会」の会場周辺では、保守系団体から「正義連は解散を」との怒声が飛び交った。慰安婦は性奴隷ではなかったことをどんどん広めていって正義連を解散に追い込むべきである。

韓国　電子バイオリンで素晴らしい演歌演奏　感動した

以前はラジオやテレビなどで流れる歌を聞くだけであったが、ユーチューブが登場すると、聞きたい歌が自由に聞けるようになった。ほとんどの曲はユーチューブで聞いた。

美空ひばりの弟で小野透という俳優が居て、彼が「俺らにゃないのか青春は」を歌っていた。小学生の頃である。その歌がとても好きというのではなかったが心に残る歌の一つであった。昔は美空ひばりの弟ということでこの歌はたまに流れていたが、30年以上聞いたことがない。ユーチューブで探したらあった。今聞いてもいい歌だ。

藤圭子が天才歌手であるというのもユーチューブで知った。藤圭子と言えば「圭子の夢は夜開く」が有名であるが、ああいう雰囲気の歌手と思っていた。ユーチューブで美空ひばりの「悲しい酒」を歌っているのを聞いて驚いた。藤圭子は天才だ。藤圭子は多くの歌手のリカバリーもしていた。片っ端から聞いていった。ユーチューブで聞きたい歌は次から次へ聞いていった。私の知っている歌は全てユーチューブにあった。

最近はまだ聞いていない歌がないか考え、歌を思い出すとユーチューブで探して聞いている。知っているほとんどの歌は聞いてきたので思い浮かぶ歌はなかなか出てこなかったが、ふとサチコが頭に浮かんだ。誰が歌ったか知らないし、何度も聞いた歌ではない。しかし、一度聴いたら心に残る歌である。歌手の声はハスキーで独特の声である。その歌手の歌った曲はサチコ以外には知らない。サチコはとても心に響く歌だった。

ユーチューブでサチコをクリックすると一番上の画像にサチコ　ニック・ニューサとあったのでクリックした。ハスキーで独特の声は心に沁みる。切ない感じがひしひしと伝わってきた。やはり、心にしみるいい歌である。

サチコを紹介している画像にバイオリンを弾いている画像があった。女性のバイオリストである。バイオリンの音は好きじゃないが、バイオリンでサチコをどのように弾くか興味が湧いてきたのでクリックした。

電子バイオリンであるが、演奏に驚いた。演歌にぴったりの音色であるのだ。クラシック音色ではない。電子バイオリンでサチコを歌っている・・・。そうとしか言えない演奏である。

歌詞の言葉がひとつひとつ聞こえてくるような感じである。バイオリストの表情もサチコの世界に入って表情が素晴らしい。予想を超えるバイオリン演奏であった。

驚いたのは歌詞が日本語ではなく韓国語で書かれていることだった。彼女は日本人ではない。韓国人である。演奏の目的は日本人ではなく韓国人に聞かせるための演奏なのだ。しかし、演奏を聴くとそうは思えない。日本の演歌ファンに聞かせるのが目的で弾いているとしか思えない。コメント欄には日本語のコメントが多い。彼女の電子バイオリンを聞けば日本人も感動しファンになる。私のように。

彼女の演奏は日本人以上に日本演歌の情緒に浸っている。胸が締め付けられる。

サチコを発表したのは6年前で視聴者は９９万人余である。その後も演歌を発表している。

みちづれ１７０万、みだれ髪２１万、涙の連絡船３８万、裏町酒場１２９万、細雪４４万などを発表している。最近は日本語も加えている。日本のファンが増えたからだ。韓国にも日本の演歌ファンは多いのだろう。

彼女の名前はＪｏ　Å　Ｒａｍという。

１９６８年のメキシコ五輪で、私はベラ・チャスラフスカに非常に感動した。琉球大学の男子寮の食堂の映りの悪い白黒テレビであったが、ベラの体操に私の目は釘付けになった。スポーツを見てあれほど感動したことはなかった。１９歳の私は感動を詩に書いた。

香港問題は香港だけでなく中国の民主化問題でもある

演技する姿にはメダルを越えたなにかがあり、彼女の魅力に惹かれた。なぜ、あれほどに感動したのか。その理由はかなり後になって分かった。

ベラは１９６８年のチェコスロバキアの民主化運動（「プラハの春」）の支持を表明して「二千語宣言」に署名した。同年ロシアが軍事介入をして、プラハに侵攻してきた。弾圧から逃れるために彼女は身を隠さざるを得なかった。彼女のメキシコオリンピック参加は非常に危ぶまれていたが、オリンピック直前にようやく出国を許可された。彼女はこのとき、祖国の屈辱をはね返すために、最高の演技を誓い競技に臨んだ。そして、圧倒的な強さを見せたのである。弾圧に屈しない彼女の内に秘めた闘いの魂は体操の演技に昇華して私を感動させたのだ。

『二千語宣言』に署名したベラは金メダリストとしての栄誉をはく奪され、職を失い、苦しい生活を強いられる。うつ病にもなったという。しかしそれでも彼女の不屈の精神は弾圧に負けず転向することはなかった。１９８９年にチェコスロバキアが民主化されるまでの２１年間、彼女は耐えに耐えて生き抜いたのである。

民主主義はしたたかだ。香港の民主主義の闘いは絶対にくたばらない。時代は民主主義の味方だ。中国内部にも民主主義は浸透している。香港が中国独裁に組み込まれるのではなく、中国独裁が民主主義に組み込まれていく。それの始まりだ。

「香港国家安全維持法」が施行されても民主化運動はきっと勝つ

香港の民主主義運動が危機的状態になった。「香港国家安全維持法」が7月1日に施行されたからだ。「香港国家安全維持法」は香港の民主主義運動が国家転覆や分離活動、テロリズム、外国勢力との共謀であり治安を危うくする犯罪であると徹底して取り締まる法律である。民主主義の主張、集会はすべて犯罪行為とみなされて逮捕される。

「香港国家安全維持法」が施行されることになったので著名な民主派活動家である黄之鋒（ジョシュア・ウォン）、羅冠聡（ネイサン・ロー）、周庭（アグネス・チョウ）の各氏がSNS上で香港の主要な民主派団体「香港衆志」からの脱退を宣言した。同団体も「即日、解散して会務を一切停止する」と表明した。団体の運営をしているだけで逮捕されてしまう可能性があるからだ。

巨大な中国政府が直接香港民主化運動潰しに取り掛かった。香港の民主化運動は一気にどん底に落ちてしまうのか。

中国は独裁国家である。民主主義運動が中国全土に拡大すれば独裁国家中国の転覆につながるのは確実である。ソ連が崩壊するとソ連圏の国々は民主主義国家になった。独裁国家を打倒するのが民主主義である。独裁国家中国にとって一番の敵は民主主義であり、独裁支配を守るためには民主主義運動は小さい芽の内に摘んだ方がいい。「一国二制度」を形骸化させる恐れがあると日本や英国、ドイツ、フランスなど27カ国は国安法を非難し、中国に法律適用の再検討を求める共同声明を出したが中国政府は無視して施行した。

一国二制度は2047年で終わる。あと27年もある。年々激しくなっていく香港の民主主義運動を27年間も続ければ中国全土に民主主義運動が拡大してしまうだろう。それを恐れているから中国政府は「香港国家安全維持法」を施行したのである。

一国二制度を形骸化させると非難されているが、一国二制度を形骸化させないと中国の独裁体制が危険になっていくのだ。独裁国家の危機を守るための一国二制度の形骸化を狙って「香港国家安全維持法」を実施したのである。

香港警察は1日、6月30日に施行された「香港国家安全維持法」に違反した容疑で男女2人を逮捕した。同法にもとづく逮捕者は初めて。2人は「香港独立」と書かれた旗やプラカードを持っていた。また、違法集会や武器所持などの容疑で70人以上が逮捕された。

香港の民主主義運動は厳しくなっていくだろう。しかし、民主主義の闘いが消えることはない。香港の民主主義運動はリーダーが居ない。一人一人が民主主義のリーダーであり、状況に応じて自分なりの闘いをしている。携帯に遺言を書いて過激な運動をする者も居るし、非暴力の平和的な運動をする者もいる。過激であろうと平和的であろうとしっかりとした民主主義思想を持っているのが香港の民主主義運動家たちである。

在日香港人でつくる団体「香港の夜明け」が会見を開いた。顔の大部分を隠して会見に臨んだ。。

「ここで歩みを止めるのは負けだと思う。法律に怯えて民主化を諦めたと思われてしまう。民主化された香港を見てみたいという思いでここにいます」

「無視することは容易いが、それでは人として何かを失う。仲間を見捨てることになるし、そんな人間になった覚えはありません」

「今は日本が好きで就職しています。香港に戻るのは困難かもしれないが、できる限りここから香港をサポートしたいんです」

香港だけでなく日本などの外国に住んでいる香港人もしっかりした民主主義者が居る。

米国は中国に一国二制度を守るよう要求している。守らないなら香港への優遇措置の一部を終了させ、軍民両用の技術に関する輸出を中国本土と同様に制限すると発表した。米国のように香港への優遇措置を取り消して中国への圧力を強める国が出てくるだろう。

中国の経済世界二位は実力ではない。外国資本のお陰である。外国資本に見放されれば中国経済は破綻する。中国の弱点だ。外国の中国圧力と香港の強い民主主義精神があれば中国に勝利する日が来るだろう。香港が中国化するのではなく中国が香港化して中国国民が自由になる日もきっとやって来る。

議会制民主主義国家日本を縁の下で支えているのはどんな国民か。それは保守か、それとも左翼か。保守でもなければ左翼でもない。それは政治に強い関心はないノンポリの国民である。

二大政党問題

国会で過半数の議員を持つ政党が政権を握る。議員は選挙で選ばれる。国民の支持が多いのが自民党である。しかし、一番多い自民党でも支持者はわずか24%である。24%の支持票では過半数には達しない。支持票だけでは自民党は政権党になれない。

支持政党なしはなんと60%を超える。政権を左右するのは支持政党なしのノンポリの国民ということになる。自民党が国会過半数を獲得して政権を握って来た。ノンポリ国民の多くは自民党に投票してきたのである。民主党が圧勝した時はノンポリ国民は民主党を支持したが、政策がノンポリ国民の気に入るものではなかったから、次は自民党に投票して自民党が勝利した。

ノンポリ国民の第一は生活である。生活を豊かにしてくれそうな政党に投票する。生活を豊かにしてくれる政治を続ける政党であるなら次も投票し、そうでないなら別の政党に投票する。

議会制民主主義になった戦後75年間は支持政党なしの国民が国の政治を左右してきた。いわゆる戦後の政治はノンポリ国民が支えてきたと言っても過言ではない。

立憲民主党は野党が団結すれば自民党に勝てると思っているが、それでは勝てない。自民党に勝つにはノンポリ国民が望んでいることを研究し、自民党よりもノンポリ国民に支持される政策を打ち出さなければならない。野合では勝てない。

それに共産党とも共闘するような政党をノンポリ国民の多数が支持するとは思えない。

東京都知事選の意義は保守と左翼が整理されたこと

米国のように日本も二大政党になるべきであると昔から思っている。しかし、日本は自民党政権の独壇場である。

２００９年（平成２１年）民主党が圧勝して民主党政権になった時、これで日本も二大政党時代になると喜んだ。しかし、民主党政権は国民の支持を失ってわずか3年で崩壊した。二大政党の可能性が失われたのだ。もっと粘って国民の支持を取り戻して政権を維持してほしかった。しかし、できなかった。

なぜ民主党は国民の支持を失い短命で終わったのか。民主党は旧社会党系の左翼と自民党を離れた保守系の議員の混合政党であった。旧社会党系の議員であっても左翼色を押さえて国民の支持する政治をすると思っていた。しかし、そうではなかった。

政治に一番重要なことは国民生活を豊かにすることである。そのための経済政策は絶対に必要だ。しかし、民主党の主導権を握った左翼は経済政策を疎かにした。だから、国民の支持を失った。

下野した民主党は国民民主党と立憲民主党に分裂した。国民は保守系である。立憲は旧社会党系の左翼である。国民は立憲ときっぱりと袂を分かれて一切の関係を断って保守政党に徹してほしかったが、反自民、野党という立場の共通があるので立憲とは選挙戦で共闘したりして付かず離れずの関係であった。だが、都知事選で立憲との共闘はしないことを決めた。

立憲、共産党、社民党は元日本弁護士連合会会長宇都宮健児の支援を決めた。国民は支援しないで自主投票にした。支援しない理由は宇都宮氏の左色が強いからと指摘している。これで左翼と保守が整理された都知事選となった。

驚いたことだが日本弁護士連合会は左翼である。慰安婦、徴用工問題を調べている内に二つの件に日本の弁護士が深く関わっていることを知った。慰安婦は性奴隷であると国連で広めたのは日本の弁護士であった。また、徴用工を人権問題として日本で裁判闘争をしたのも日本弁護士である。日本の判決では賠償金を取ることができなくなったので、戦争に関係する人権問題は韓国でも裁判することができるという理屈をねつ造して韓国で裁判するように仕掛けたのも日本の弁護士である。これらの左翼弁護士が主流となっているのが日弁連であるのだ。

立憲との合流案は消滅したし、都知事選で左系の宇都宮氏の支援をしないと決めた国民民主党である。

立憲と国民の支持母体である連合(日本労働組合総連合会)の東京支部は国民と違った。前回の知事選は自主投票だった連合東京であったが今回の東京都知事選では再選を目指して出馬する現職の小池百合子知事の支持を決めたのである。立憲が宇都宮候補支援で国民がどっちつかずの状態であるのに対して、連合が保守の小池知事を支持するのである。

立憲の支持団体は旧社会党の時に支持母体であった教員組織の日教組と公務員の自治労である。共産党と同じである。いわゆる税金を給料とする「労働者」団体の支持政党が共産党、立憲民主である。税金を払う民間労働者は左翼政党と決別している

東京都知事選（7月5日投開票）に日本維新の会が推薦する小野泰輔氏が立候補した。維新の会は小池都知事を支援してほしかった。小池都知事と維新の会が連携すれば自民党と対峙する維新の会が勢力拡大するからだ。二階自民党幹事長が小池都知事を支援すると決めたから維新の会は自民党と対峙するために小野氏を推薦したのだろうか。

小池都知事は自民党の支援を拒んだ。二階幹事長の思惑は外れた。小池知事は自ら率いる都民ファーストと競合する。小池都知事は自民党と対峙する保守である。吉村大阪府知事と同じである。だから、自民党と対峙する保守として小池都知事と吉村府知事そして都民ファーストと維新の会は連携してほしい。それが二大政党時代への一歩になる。

立憲と国民の合流話は茶番

ずるずると続いている立憲民主党と国民民主党の合流交渉である。合流に積極的であるのが立民であり国民は消極的である。昨年末に立民と国民との合流協議が進められたが条件が折り合わず、1月に頓挫した過去がある。それなのに2020年7月15日に再び立民は国民に合流を提案した。

国民民主党　御中
申し入れ
立憲民主党幹事長
福山　哲郎

以下のように、新設合併方式での新党の結成につき、提案を申し入れる。すみやかにご回答いただきたく存じます。

○立憲民主党・国民民主党・無所属（選挙区当選）・無所属（比例復活当選）の衆議院議員、ならびに立憲民主党・国民民主党・無所属の参議院議員、それぞれが入党しやすい環境を整備するため、立憲民主党と国民民主党は、それぞれ解散し、新設合併方式で新党を結成する。
○結党大会において、所属国会議員による代表選挙を実施する。
○綱領は、立憲・国民両政調会長間で、両党の綱領をふまえ、協議の上、作成するものとする。その際には、連合が検討中の「コロナ時代の社会のあり方」を十分に考慮に入れるものとする。
○その他の項目は、昨年12月27日の両党幹事長の確認事項に依るものとする。
○新党名は、立憲民主党・略称通称：民主党とする。

立民は国民と合流して旧民主党体制を再現しようとしている。立民が国民との合流を目指しているのは政権を取るためである。国民と立民の合流にとどまらず全野党が合流すれば自民党と五分五分に闘え、政権奪取ができると信じているのが立民どある。立民が目指しているのは全野党の合流である。立民は国民だけでなく共同会派「立憲民主・国民・社保・無所属フォーラム」に所属する「無所属フォーラム」の岡田克也会長や、同じく会派に所属する「社会保障を立て直す国民会議」の野田佳彦代表にも合流を呼び掛けている。

立民の合流推進派は国民を除いた野党共闘には限

界がある。立民と国民が合流した上で社民党とも合流し、そして関係を深める共産党と共闘すれば政権を奪取できると考えているのが合流推進派である。

旧民主党は旧社会党の穏健派と保守系が合流した政党であった。民主党は国民と立民に分かれたが立民は旧社会党の穏健派の議員を中心とした左系の政党である。左系の立民だから同じ左系である社民とは合流、共産とは共闘ができるのである。国民は保守である。左系と合流・共闘は立民のようにはできない。国民は保守系で立民は左系であることがはっきりしたのが東京都知事選であった。

東京都知事選で、立民は日本弁護士連合会元会長の宇都宮健児候補を支持した。共産党、社民党も宇都宮候補を支持した。両党は左翼政党である。だから左系の宇都宮候補を支持したのであり、立民が左系であることは宇都宮候補を支持したことではっきりする。

宇都宮氏は街頭演説で、

1「従軍慰安婦問題、靖国参拝は日本人として恥ずかしい」

2「ホワイト国除外は徴用工問題に対しての嫌がらせ、これは撤回するべき」

3「被告の民間企業が賠償金を払うのを日本政府が妨害している」

4「国会議事堂前に慰安婦像を建てるのが第一歩」

と述べている。

徴用工裁判で日本の最高裁は弁償しなくていいと判決した。ところが日本の弁護士連合会の元会長である宇都宮氏は弁償しろと判決した韓国の判決を支持しているのだ。このような演説をやった宇都宮市が左翼であることは明白である。立民、共産、社民は宇都宮候補が左系の立候補だから支持し応援したのである。国民は保守系であるから左系の宇都宮氏を支持しなかった。支持する野党系候補が居なかったので国民は自主投票にした。

立民との合流推進派である平野氏や小沢一郎衆院議員は立民などが支援する宇都宮候補を応援した。前原誠司元外相は日本維新の会推薦の小野泰輔候補を応援した。前原氏は立民との合流には否定的である。消費税減税を軸にした連携を目指す馬淵澄夫元国土交通相はれいわ新選組の山本太郎代表の支援に回った。

支援が宇都宮、小野泰輔山本太郎と三つに分かれた国民が立民と合流するのは難しい。合流すれば、合流に反対して国民を出ていく議員は少なくないだろう。

立憲は国民との政策についての徹底した協議はしないで合流しようとしている。昨年末からの国民との合流協議では条件が折り合わず、1月に頓挫した。であるからこそ合流条件を訂正などして協議をやりなおすべきである。しかし、立民は合流を最優先させている。立民はなにがなんでも国民や他の野党と合流して議席を増やし、政権を奪取しようとしているのだ。政策軽視の合流が立民のやり方である。政策軽視の合流の果てに待っているのは政策対立による分裂である。合流するなら徹底して政策協議をやり、政策でお互いに納得した時に合流するべきである。数を増やす目的だけの立民の合流作戦は茶番である。

立民の茶番の原因は枝野幸男代表の焦りにある。野党トップの立民であるが支持率は落ちている。一方日本維新の会の支持率は高くなり立民に肉薄するようになったし、れいわ新選組の登場もある。このままでは立民が野党トップの座に居ることも危うくなる。トップの座を維持するには国民との合流しかないという焦りが枝野代表にはある。立民の若手・中堅からも現状のままでは日本維新の会やれいわ新選組にも対抗できないとして国民と合流の協議をするように枝野代表に要望した。枝野代表や立民の若手・中堅の焦りから立民は国民に合流提案をしたのである。政策協議を後回しにして。

東京都議選で日本維新の会が推薦する小野泰輔候補の応援に入った国民民主党の前原誠司元外相は維新との協力について「選挙のためではない。どういう社会を作りたいかを共有できる人と協力することが大事だ」と述べた。前原氏は政策の共有を優先させている。

前原氏は維新の議員らと地方分権の勉強会を立ち上げている。勉強会を積み重ねていって政策が一致すれば共闘していけばいい。政策の協議・勉強会こそが合流の前提である。前原氏は野党再編で、保守系野党議員の協調を探っていると言われているが、維新の会との勉強会こそが野党共闘の第一歩である。そして、共闘した後も勉強会・協議を積み重ねていって政策が一致すれば合流するのだ。

愛知県・大村知事リコール運動始まる　発起人美容外科「高須クリニック」高須克弥院長

「全身がん」で闘病中でもある高須院長は県選挙管理委員会事務局へ必要書類を提出した後、約2週間で本格的な大村知事リコール署名集めをスタートさせる。2カ月以内に86万人以上の署名が集まればリコールが成立する。

自らが率いる地域政党「減税日本」の市議や愛知維新の会と「表現の不自由展・その後」の再開反対運動を展開した河村たかし名古屋市長も大村知事のリコール運動に「本格参戦」している。

お辞め下さい大村秀章愛知県知事愛知100万人リコールの会　会長　高須克弥

「僕は(生まれ育った)愛知県を愛しております」

「あいちトリエンナーレでは昭和天皇の写真に火をつけたり(動画あり)、英霊を辱めるような作品が公開された。

大村秀章愛知県知事は税金から補助を与えるという。それが一番許せない」国にとって恥ずかしい、愛知県民にとって恥ずかしい、そういうことをしてくれる知事は支持できない。

新型コロナ対策でも疑念は深まりました。

愛知県のウェブサイトに先月（5月)、感染者490人分の個人情報が誤って掲載される問題が発生した。

個人の微妙な人間関係まで記されていた例もあったそうです。

「個人情報の流出は大変な失態だ。部下の失態は上司が自ら腹を切って申し訳ないというのが僕らの考える作法だ」。

愛知県民の皆様、世界・全国の方々でも愛知県民のお知り合いをご紹介ください。

現実を知っていただいて、大村秀章愛知県知事解職請求（リコール）を県民（全国）の皆様（愛知県民知人）の声で行動を共にいたしましょう。

【1】あいちトリエンナーレ表現の不自由展における芸術教育憲法問題の疑惑

昭和天皇陛下のお写真をバーナーで焼き下足で踏みつぶす動画の表示許可

・慰安婦像の展示許可
・日本軍人、間抜けな日本人と称する展示許可
・県民・市民・国民の税金（血税）による展示会を、独断開催、展示一時中止後の独断再開と県民・市民・国民（主権在民）の多数反対意見の無視
・名古屋市の負担金未払い結果による、あいちトリエンナーレ会長名での提訴
・新コロナ感染症対策、日本中国難である、新コロナ対策中におけるあいちトリエンナーレ提訴行為

高須氏が大村知事のリコール運動をおこなう理由は、昨年開催され、テロ予告や妨害で一時中断となった「あいちトリエンナーレ２０１９」展示会の「表現の不自由展・その後」の作品の中に、昭和天皇、日本軍人を侮辱、揶揄する表現があったことを問題視し、県と名古屋市が主催する公的事業である企画展に、そうした表現の作品を税金を使って展示したのは誤りであり、その展示を許可し、企画展を開催・再開した大村知事は、知事にふさわしくない、というものである。

マスメディアが大きく扱ったのは慰安婦少女像の展示であった。昭和天皇の動画展示について報道したマスメディアはなかった。日本国民にとっては慰安婦像より昭和天皇の写真が燃やされ靴で踏みつぶされる映像の方が反発は大きかったはずである。「表現の不自由展」で展示した慰安婦少女像である。

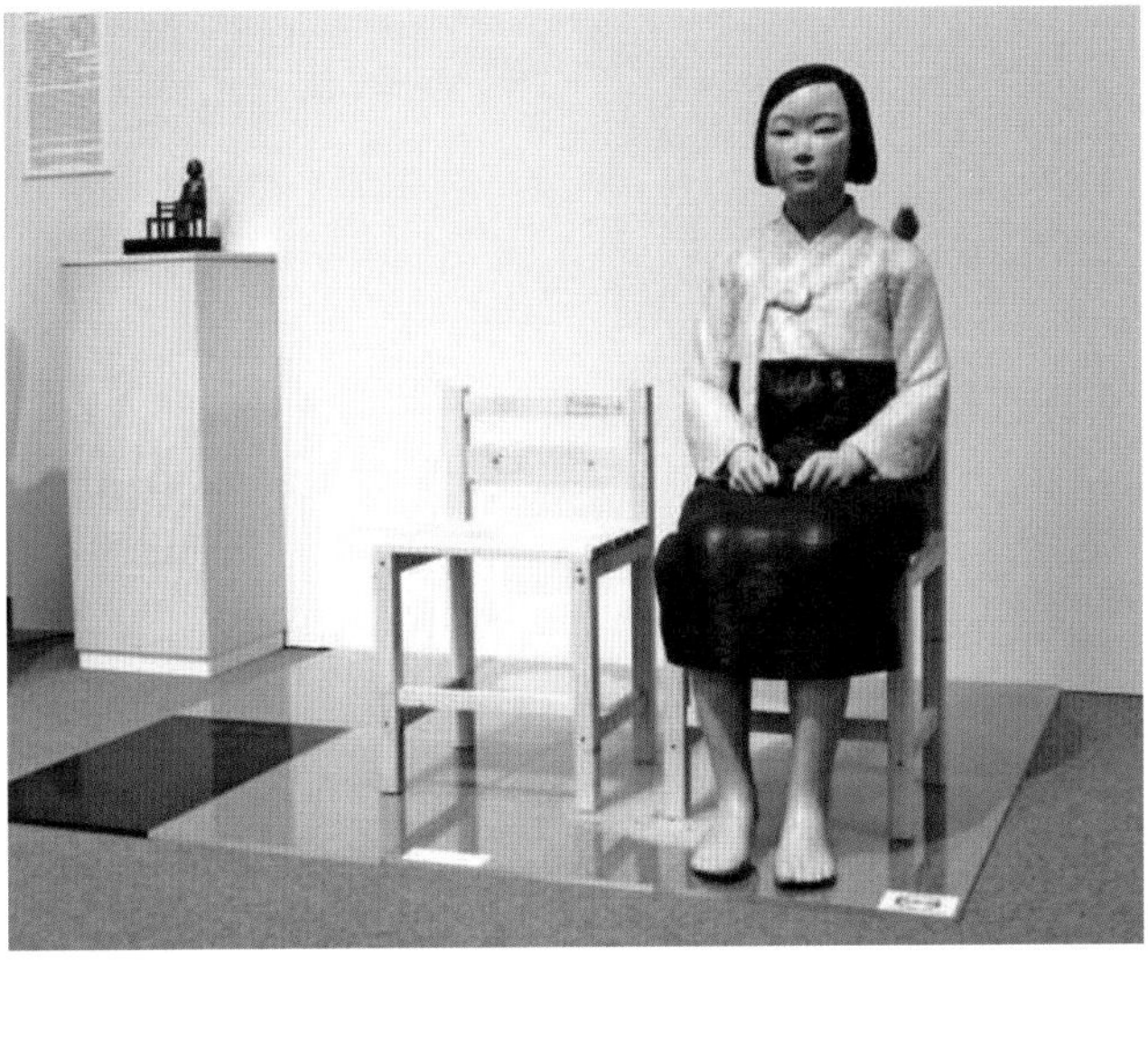

「内なる民主主義２１」の「韓国よ　日本市民のにせ少女慰安婦像への嫌悪と怒りを知るべし」で少女慰安婦像批判をした。
「内なる民主主義２１」に掲載した写真である。

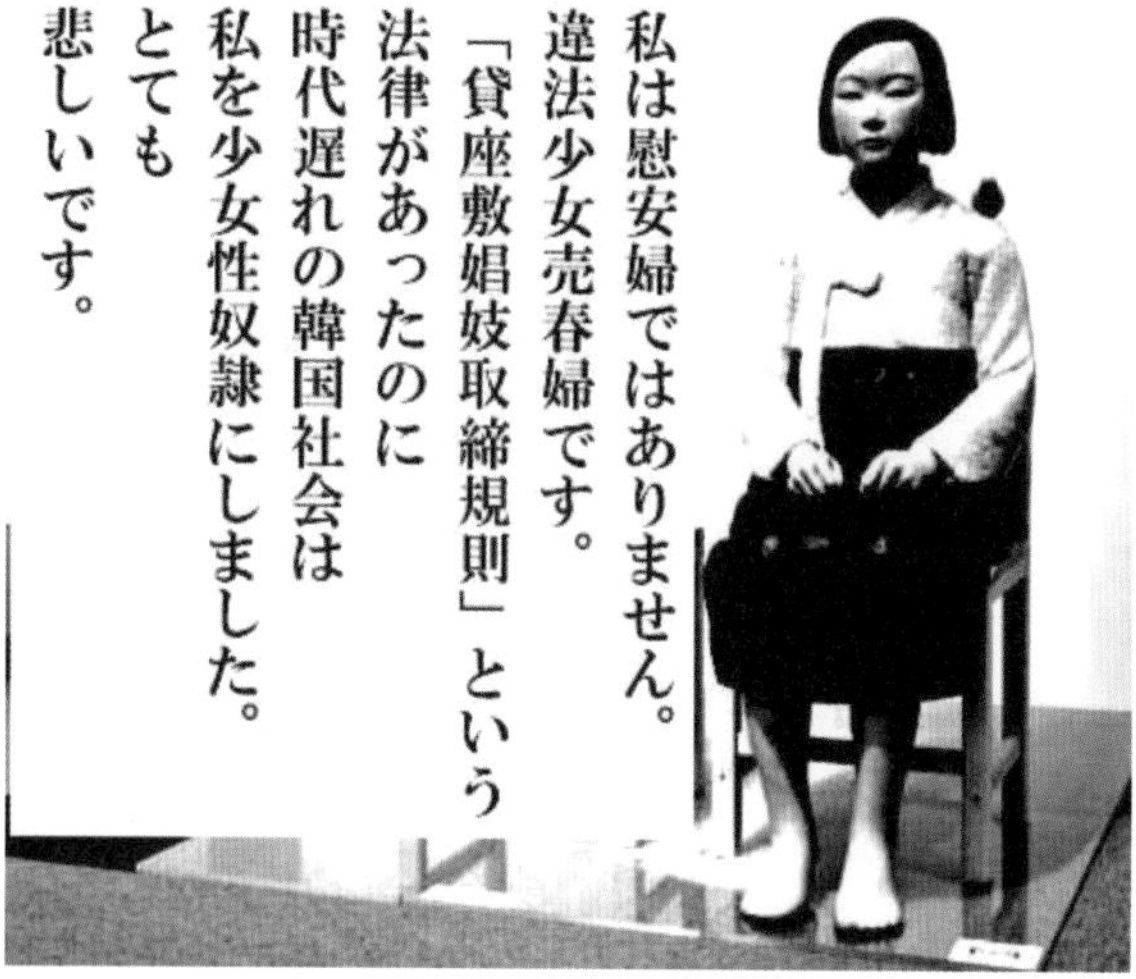
私は慰安婦ではありません。
違法少女売春婦です。
「貸座敷娼妓取締規則」という
法律があったのに
時代遅れの韓国社会は
私を少女性奴隷にしました。
とても
悲しいです。

国際芸術祭「あいちトリエンナーレ２０１９」の企画展「表現の不自由展・その後」への抗議の電話やメールなどが実行委や県庁には１日の芸術祭開幕から１３日までに、計約５５００件届いた。

圧倒的な抗議の前に大村愛知県知事と津田大介監督は展示会をする気概を失い中止したのである。大村知事と津田監督は敗北したのである。日本市民の抗議に。

韓国では「慰安婦＝性奴隷、少女慰安婦も居た」が常識になっているが、それは韓国の常識であって日本の常識ではない。日本の常識は「慰安婦＝日本軍が管理する売春婦、少女慰安婦は居なかった」である。これが日本の常識であることを明らかにしたのが「表現の不自由展・その後」への抗議が５５００件あったことである。数百件ではない。なんと５５００件である。５５００件あったということは日本のほとんどの国民がにせ少女慰安婦像の展示に嫌悪し怒っているということである。日本国民は韓国がまき散らす慰安婦＝性奴隷の嘘に嫌悪し怒っている。それが日本の真実だ。

「天皇の御影を焼いた動画」を展示していることはマスコミではなくブログで知った。「内なる民主主義２２」に『天皇の御影を焼いた動画』展示への国税補助中止は当然」を掲載した。

昭和天皇の顔の写真をガスバーナーで焼いている。

白い馬に乗った昭和天皇の写真を焼いている。

天皇陛下の写真をガスバーナーで焼き、灰になっ

燃えた写真を靴が踏んづけている。

た写真を靴で踏んづけるという動画である。こんな動画を芸術というのはおかしい。でも芸術だと主張するのは自由である。日本は表現の自由な国だ。しかし、こんな昭和天皇を侮辱しているだけの芸術性のない動画を国民の税金で展示するというのはおかしい。税金を使うべきではない。この動画は芸術作品というより天皇侮辱作品である。

夕刊フジは、

「昭和天皇の写真を焼き、足で踏みつけるような映像作品の公開への税金投入をどう思いますか」の世論調査をした。

（投票、約６６５９０票）

○賛成３％

○反対９４％

○どちらでもない３％

世論調査では税金投入反対が９４％である。動画の写真を見れば国民の民意も世論調査と同じになるだろう。

民主主義に逆行しているのは国民が反対する「少女慰安婦像」「「天皇の御影を焼いた動画」の展示を国民の税金でやろうとしたことである。

「天皇の御影を焼いた動画」を展示した「表現の

不自由展・その後」への国税投入反対は当然である。

「表現の不自由展・その後」を展示・再開した大村知事には知事の資格はない。退任するべきである。高須院長による大村秀章知事リコール署名運動は大きな意義がある。


大村知事は左系ではない。自民党系である。自民党系知事が「天皇の御影を焼いた動画」、「少女慰安婦像」の展示を許可したのである。高須院長による大村秀章知事リコール運動が始まるとすぐに共産党がリコール運動に反対した。

「『表現の自由』を否定し、侵略戦争と旧日本軍の肯定・美化をもとめる高須克弥氏、河村名古屋市長による知事リコール運動に反対する」と共産党愛知県委員会が大村知事リコール運動に反対するとの見解を公表したのである。自民党系の知事を共産党が応援するという奇妙な事態が愛知県で起こったのである。左翼が仕掛けた「表現の不自由展・その後」に自民党系の大村知事が抱き込まれたのだ。共産党の大村知事養護に対して、大村知事を知事失格だと断言したのが維新の会吉村洋文大阪府知事である。


吉村氏は同芸術祭で企画展「表現の不自由展・その後」の慰安婦を表現した少女像の展示などについて「反日プロパガンダ」だと指摘。大村氏が展示内容を容認したとして、「知事として不適格じゃないか」と批判した。吉村知事はサンフランシスコ市が慰安婦像の市有化を決めた時に姉妹都市を解消した。慰安婦が日本軍の性奴隷だったということに反対しているのが吉村知事である。

愛知県の維新の会は吉村知事の批判を共有し、大村知事リコール運動に参加している。大村知事のリコールが成立すれば名古屋市長河村氏が立候補し愛知県知事になるだろう。大阪に続いて愛知も維新の会が制覇する可能性が出てきた。

東京都知事選では無名の小野泰輔氏が維新の会の推薦で６１２，５３０票を獲得した。れいわ新選組山本太郎氏の　６５２，２７７票に続く4位であった。維新の会は着実に東京でも支持を拡大している。自民党の支援を断った小池百合子都知事と連携すれば、東京・愛知・大阪の連携が成り立つ。維新の会が全国区になり、自民党との二大政党へ進展するだろう。大村知事リコール成立が第一歩だ。

住宅と墓が隣近所だよ

二階建ての家があり、隣に墓がある。墓は二つだけではない。隣に黒っぽい古い墓もある。三基の墓の隣に住宅を建てのだ。しかし、この写真が珍しいから紹介するのではない。珍しくないから紹介する。墓と住宅が隣なのは他にもたくさんあるのだ。

場所は読谷村南側であるが、この一帯には住宅と墓が隣である箇所が多い。墓が住宅に囲まれている箇所もある。

墓というのは死んだ人の骨を納めるものであり、夜になると幽霊が出るかもしれない。夜は怖い場所である。墓の隣に家を建て、住むというのは考えられないが、現実に写真のように墓の隣に家を建てている。毎日墓の隣で夜を過ごすのである。私は遠慮したい。

住宅の隣に墓があるようになったのは戦後の特殊事情からである。この写真の向こう側にはモーガンマナーとよんでいる外人住宅街がある。右側に白い家が見えるがその家のこちら側にも墓がある。昔からある墓である。

近くに嘉手納飛行場があり軍人に貸す外人住宅が

戦後に多く建てられた。沖縄にやって来た米軍人には結婚した者も多く、軍人の家族が住む家として外人住宅が建てられたのだ。

外人住宅は沖縄の人々が住む部落からは離れた場所につくられた。地元の人とのトラブルを避けるためだっただろう。部落から離れた所には墓が点在していた。沖縄には寺はないし墓場というものもなかった。墓は部落から離れた場所に自由に建てた。そのために外人住宅の直ぐ側に墓があった。

沖縄の墓は家のようであり、中庭のようなものもある。アメリカの少年には墓には見えない。墓がアメリカ少年たちの遊び場になってしまった。神聖な墓がアメリカ少年たちの遊び場になって墓主は嘆いたという。英語は話せないから遊び場にしている場所が墓であり遊んではいけないと説得することができなかった。困り果てた墓主は最後の方法として十字架を墓に立てたという。キリスト教信者ではないのに墓に十字架を立てるのは心苦しかったと思う。十字架の効果は大きく墓で遊ぶアメリカ少年は居なくなったそうだ。

少年の時にあるおじさんから聞いた話である。

ベトナム戦争が終わり、在沖縄米兵は次第に減っていった。外人住宅に住む米兵はどんどん減っていき、空いた外人住宅は売りに出されて、沖縄の人が住むようになった。今では全部の外人住宅には県民が住むようになっている。私も４０年以上前に外人住宅を買った。とても安いからだ。私の家の隣に墓はないが、数百メートル離れた場所には墓があり、墓は外人住宅に囲まれている。

昔は墓は住宅地から遠く鳴れた場所にあり、夜は近寄るのが怖かったが、外人住宅の近くには墓があるので次第に家の隣にあっても怖くなくなっていったのだろう。それにコンクリートの家は夜は閉め切っているので隣に墓があっても怖くないし、蛍光灯で家の中は明るい。墓が怖い存在ではなくなったのだろう。

中部は人口がどんどん増えていき、新築できる箇所が少なくなっていった。そのために写真のように墓の隣に新築したのである。墓の隣の土地は安いのかもしれない。

住宅と墓が隣。そんな所は本土にはないだろうし、沖縄でも少ないだろう。

黄泉の国の神風特攻隊

「ここはどこだろう。」

加藤次郎は突然一度も来たことがない場所に立っていた。空も雲もない。家も木もない。山もない。風もない。道もない。見慣れた風景がない不思議な場所である。夢の中だろうか。自分はまだ寝ていて、夢の中に居るから風景がない世界に居るのだろうか。加藤は当たりを見回した。風景のない世界だ。やはり夢を見ているのか・・・加藤は首を振った。

・・・いや、そうじゃない・・・夢じゃない・・・寝ているはずがない。自分はゼロ式戦闘機に乗って憎っくき米艦船に突っ込んでいった。そうだ。私は特攻隊として敵艦船に突っ込んでいったのだ。看板目掛けて私のゼロ式戦闘機は一直線に突っ込んだ。逃げ惑うアメリカ兵。恐怖に顔が引きつっている金髪の海兵隊の姿も見えた。ぐんぐん甲板が近づいていった。

加藤次郎の記憶はそれから真っ暗になった。真っ暗になってからどれほどの時間が経ったのだろうか。もしかすると時間は全然経っていないかもしれない。

加藤次郎は腕時計を見た。時計は一時三分三十五秒のまま動かない。どうやら艦船に突撃した瞬間から時計は止まっているようだ。

太陽は出ていないのに明るい。道もない。家もない。山も見えない。海も見えない。奇妙なところである。

暫くして加藤次郎は天国に居るのではないかと思った。自分はゼロ式戦闘機に乗って勇敢に敵軍艦に突撃をした。爆弾を抱えて軍艦の看板に突っ込んだのだから生きているはずがない。ああ、自分は死んだのだ。死んだという実感はないが、これまでのことを考えると自分が死んだということは納得できる。ああ、自分は死んだのだ。もう二度と地球の大地の上に足を踏みしめることはできないのだ。父や母に会うことはできない。妹の由美子と会うこともできない・・・・・。

加藤次郎は自分が死んだという事実にさびしさがこみあげてきた。しかし、死んだことに後悔はない。自分は神風特攻隊員として大日本帝国のためにゼロ式戦闘機に乗って敵軍艦の甲板に突っ込んだのだ。自分の命と引き換えに敵軍艦を大破したのだ。米軍艦は沈没しただろう。加藤次郎は家族や友人に会えなくなったさびしさはあったが責任は果たしたという充足感もあった。

鬼畜アメリカが日本本土上陸するのは絶対に阻止しなければならないのだ。そのためには自分の命なぞちっとも惜しくはない。日本国のため天皇のためにあるのが自分であるのだ。日本男子として当然のことをやっただけだ。

次々と自分に続いて特攻隊が鬼畜アメリカの軍艦に特攻していき、日本に真の神風を吹かすのだ。そして鬼畜アメリカを駆逐してやるのだ。日本には神風があるのを軽薄アメリカは知らないだろうが、神風特攻隊の攻撃が続けば本当の神風が起こりアメリカ艦隊は海の藻屑となるのだ。

「天皇陛下万歳。」

加藤次郎は興奮して声高に万歳をしていた。すると、山がないのに、

「天皇陛下万歳。」

と山彦が返ってきた。いや、山彦ではない。次郎の声とは違う声だ。すると反対の方からも、

「天皇陛下万歳。」

が聞こえた。聞き覚えのある声だ。

「いとーかあー。」

加藤は声の方に向かって叫んだ。

「かとーかあー。」

加藤の名を呼ぶ声が聞こえてきた。

「いとー。」

加藤が叫ぶと、

「かとー。」

伊藤の声が返って来た。まさかこんなだだっ広いなにもない所で突然に伊藤の声が聞こえるとは。ああ、神の導きなのだろうか。

加藤は声のする方に走った。加藤は走って驚いた。走るのが早いのだ。それも人間の速さとは桁が違った。人間の走る早さは百メートルを１０秒代で走るのが世界最速である。ところが加藤の速さは百メートルを一秒以下で走るのだ。いや、音速くらいの速さである。

声のする方のはるか彼方に人間の姿は見えなかったが、暫くすると米粒のようなものが見え、それが見る見るうちに大きくなりやがて人間の姿になった。

「伊藤。」

「加藤。」

二人は再開を喜んだ。

「おう、伊藤。無事だったか。」

加藤が言うと伊藤は返事に途惑い苦笑いした。

「はあ。無事と言えば無事だと言えるし。そうではないとも言えなくはないし。」

伊藤の戸惑いに加藤は自分たちが死んだということを思い出した。

「ああ、そうか。私たちは死んでいるのだ。無事であるかと聞いたのは愚問であった。私は駆逐艦の甲板に体当たりした。駆逐艦は沈没したと思う。」

加藤は言った。

「私は敵空母の甲板に突っ込んだ。大破したと思う。しかし、私の抱えていた爆弾で空母が沈没したかどうかは疑問です。しかし、甲板を爆発させましたから、戦闘機の利発着はできなくなったはずです。」

「そうか。それでいい。」

どこからか声が聞こえた。

「天皇陛下万歳。」

かすかに聞こえる。

「あの声は岡部憲次ではないか。」

「いや、小泉八郎だと思います。」

「そうかなあ。私には岡部の声に聞こえたのだが。」

二人は耳を澄ました。

「天皇陛下万歳。」

かすかに聞こえた。

「やっぱり岡部憲次だ。」

「いえ。小泉八郎です。」

「声のする方に行こう。」

二人は音速以上の速さで声のする方に移動した。近づくにつれて声は大きくなりはっきりと聞こえるようになった。岡部憲次と小泉八郎の声が重なっていてひとつの声になっていた。

「おうい。おかべー、こいずみー。」

加藤が叫んだが、声の速さと加藤の速さは同じくらいで声と一緒に岡部と小泉のいる場所に到着した。

「加藤。伊藤。」

「岡部。小泉。」

四人は再会を喜んだ。

「ここは天国ですかね。」

「天国なんだろうな。」

「いやいや。天国ではなくて、あの世だと思う。」

「天国とあの世は違うのか。」

「そりゃあ、違うだろう。あの世はひとつだが、天国は地獄もある。あの世から天国と地獄に別れるのだろう。」

「とすると、ここは仮の居場所というわけか。」

「そうだ。」

加藤と小泉は回りを見渡した。

「なにもありませんね。」

「なにもない。」

四方八方に障害物はひとつもなく遥か遠くまでなにもない。地平線も見えない。

「そう言えば、腹が空かない。」

「喉も渇かない。」

「そう言えばそうです。」

「今まで気づかなかったが、腹が空かない、喉が渇かないというのも不思議なものです。三度の食事の前は腹が空いた。水を飲まなければ喉が乾いた。でもここでは腹が空かないし喉も渇かない。なんか妙な感じです。ご飯を食べないで水も飲まないと死んでしまうとつい不安になるが、なんのことはない。私は死んだのです。腹が空かない、喉が渇かないということは死んだ証拠ですね、やっぱり私は死んだのですね、」

小泉は自分が死んだことにがっかりした。

「しょぼくれた顔をするな。私たちは天皇陛下のためににっくきアメリカ軍をやっつけたのだ。私たちは名誉ある戦死をしたのだ。胸を張れ小泉。」

加藤は小泉を叱咤した。

「はあ。」

小泉は肩を落とした。

「加藤。こいつは好きな女性がいてな。結婚する約束をしたのだが、結婚する前に特攻命令が下ったのだ。しょほくれるのも無理ない。」

「そうなのか、小泉。」

「はあ、まあ。」

小泉は口を濁した。

「日本男子がそのくらいでくよくよするな。我々は天皇のために生まれ天皇のために死んでいくのを運命としているのだ。

『海ゆかばみずく屍
山ゆかば草むす屍
大君のへにこそしなべ』

だ。そうだったじゃないか。好きな女と結婚できなかったくらいでめそめそしやがって。日本男子の恥だ。」

「加藤。そんなに小泉を責めるなよ。」

加藤は優柔不断な小泉にいらいらしていた。

「責めてはいない。当たり前のことを言っているだけだ。」

加藤の苛立った声に小泉はますます萎縮した。

「すみません。」

伊藤が小泉をかばった。

「勘弁してやれよ。人間なんだから完璧ではないんだ。好きな女性と結婚できなかったからがっくりするのもそれはそれでいいじゃないか。」

伊藤の意見に加藤はむっとした。

「伊藤。今日本はどんな状況か分かっているのか。国民総出で戦争をしているのだ。日本が戦争に勝つために老いも若きも男も女も命がけで戦っているのだ。そんな時代に好きな女性と結婚できなかったからめそめそめそするなんて許されることではない。色恋にうつつをぬかすなんて許されないことだ。ぶん殴ってやりたい気持ちで一杯だ。」

「まあまあ。そんなに興奮するな加藤。お前は小泉を色恋にうつつを抜かしていると非難しているが、小泉は任務を立派に完遂したのだぞ。」

岡部は小泉を殴る勢いの加藤の肩を掴んで加藤を小泉から離した。

「小泉はな。航空母艦の司令室に突撃して司令室を木っ端微塵にしたのだ。そうだよな小泉。」

「は、はあ。」

加藤は小泉が航空母艦を大破させたことに感動した。

「すごい。それはすごい。すごいじゃないか小泉。」

「は、はあ。大破したかどうかは分からないです。なにしろ、爆発は見ていないので、爆発したかどうかは知りません。なにしろ、爆発する前に気を失ったものですから。」

岡部は笑った。

「そりゃあそうだ。爆発した瞬間に俺たちの肉体はバラバラになってしまう。つまり死んでしまう。逆にいえば気を失ったつまり死んだということが爆発をやった証拠になるんだよ小泉。」

「は、はあ。」

「自信を持てよ。お前は特別攻撃隊として立派に任務を果たしたのだ。」

「で、でも。」

「でも、なんだ。」

「いえ。なんでもありません。」

小泉は下を向いた。岡部は小泉の内心を知っているかのようににやにやした。

「航空母艦を大破した栄誉より好きな女性と一緒になれなかったことの方が小泉の衝撃は大きいということか。」

小泉は内心を見抜かれて慌てた。

「い、いえ。そんなことはありません。」

岡部は苦笑した。

「なあ小泉。俺たちは死んじまったんだ。なにくよくよしているんだ。ここでは嘘をつく必要はないんだ。ここはあの世なんだぜ。この世ではないんだ。分かっているのか。」

「はあ。まあ。」

まだ軍国主義真っ只中の現実に生きていた習性が小泉の体から抜けていなかった。本音をしゃべると密告されて憲兵に逮捕される恐怖が小泉の感性に残っていた。

「雪江さんと結婚できなかったことを悔やんでいるのだろう。ここはあの世だ。堂々と言っていいんだ。」

「いえ。とんでもありません。」

憲兵に聞かれたら大変であるとでもいうように小泉は岡部の口を覆って回りを見た。

「聞き捨てならん。」

加藤は怒った。

「結婚できなかったことを悔やんでめそめそしているのか。それでも日本男子か。お前は大日本帝国の人間として恥ずかしくないのか。天皇からもらった命なんだぞ。大日本帝国のために捧げることこそが最高の命のありかたなのだ。」

「はあ、はい。」

伊藤がにやにやした。

「加藤は恋を知らないなあ。知らないからそんな偉そうなことが言える。」

加藤は伊藤の言葉にむっとした。

「今は戦時下なのです。恋うんぬんにうつつを抜かしている場合ではありません。」

「おお、くわばらくわばら。」

伊藤は加藤をからかった。その時、遠くで声がした。四人は耳を澄ました。

「天皇陛下万歳。大日本帝国万歳。」

という声が聞こえた。四人は顔を見合わせた。

「石原の声ではないか。」

「清水の声も聞こえる。」

「赤木の声も混じっている。」

「鴨井の声も聞こえる。」

四人は各々声の主の名前を呼んだ。すると向こうからも加藤たちの名前を呼ぶ声がした。

「彼らもアメリカの艦隊に突撃したんだ。」

「ここの世界に来たということはそういうことだ。」

地平線の方に米粒ほどの黒い塊が見えそれが見る見るうちに大きくなってきた。

「加藤先輩。」

「伊藤先輩。」

「小泉先輩。」

「岡部先輩。」

石原、清水、赤城、鴨井は加藤たちの所にやってきた。

「おお。無事だったか。」

と加藤は言ってから途惑った。死んだのに無事と言うのは変である。

「はい。石原は無事敵艦船の横っ腹にぶち当たりました。」

「清水も敵艦船の横っ腹にぶち当たりました。」

「赤木は敵艦船にぶち当たりました。」

三人は成果を報告したが鴨井だけは黙っていた。加藤たちは鴨井の報告を期待して待ったが鴨井は首をうなだれて黙っていた。

「鴨井はどうだった。」

加藤が聞くと鴨井はますます体を縮めた。

「どうした鴨井。」

「鴨井は体当たりに失敗したのです。」

黙っている鴨井の代わりに石原が答えた。

「そうなのか鴨井。」

加藤が聞くと鴨井は黙っていた。

「鴨井。答えろ。」

加藤は厳しく言った。鴨井は首をうな垂れてじっとしていたが、加藤の詰問が次第に厳しくなっていったのに耐え切れずに鴨井は肩を震わせて泣いた。

「加藤。鴨井を責めるのはそれくらいにしろよ。鴨井だって敵軍艦に体当たりしようと頑張ったんだ。」

伊藤は鴨井をかばった。

「なに言っているんだ。日本は物資が少ないんだ。物を大事にしなければならないんだ。戦闘機一機、爆弾のひとつも粗末にしてはならないんだ。神風特攻隊は百発百中でなければならない。そのために人間が操縦して敵艦に体当たりしているのだ。鴨井は国民の血の一滴である零式戦闘機と爆弾を無駄にしてしまったのだ。」

加藤の反論に伊藤はなにも言えなかった。鴨井はわーっと泣いて土下座した。

「すみませんでしたー。」

岡部は鴨井を抱き起こした。

「加藤の言う通りである。否定はしない。しかし、もう俺たちは死んだのだ。鴨井だって敵艦に突っ込む積もりでいたから死んだのだ。死んだ人間をそんなに責めるなよ。死んでも責められたらかわいそうだ。」

加藤は岡部の説得に納得する様子はなく憤然としていたが、それ以上鴨井を責めることはしなかった。

海ゆかばみずく屍
山ゆかば草むす屍
おおきみの
へにこそ死なめ
かへり見はせじ

海に行ったならば　水に漬かった屍(死体)になり
山に行ったならば　草の生えた屍になって
天皇の
お足元で死のう
後ろを振り返ることはしない
遠くから歌が聞こえてきた。
「あれは黒川の声だ。」

別の方からも歌が聞こえてきた。

ひとの嫌がる軍隊へ
志願で出て来る馬鹿もいる
お国のためとは言いながら
かわいいスーちゃんと生き別れ

加藤が不愉快な顔をした。

「諸星だ。」

小泉が言った。

「諸星さあーん。」

小泉は諸星を呼んだ。

「小泉かあー。」

暫くすると諸星の返事が聞こえてきた。小泉は諸星の声がする方に走って行った。

「黒川ー。」

加藤は大声で黒川を呼んだ。

「加藤さんですかー。」

という声と一緒に黒川が音速で走ってきた。

「おう。黒川。」

「加藤さん。」

二人は手を固く握り合った。

「鬼畜米兵の敵軍艦へ体当たりしたか。」

加藤が聞くと、

「はい。しっかりと敵巡洋艦のどてっ腹に突っ込みました。」

「そうかそうか。よくやった。」

「ありがとうございます。天皇陛下万歳。」

「天皇陛下万歳。」

加藤と黒川が天皇陛下万歳をしたので他の連中も一緒に「天皇陛下万歳。」

「大日本国万歳。」

を斉唱した。黒川は

海ゆかばー

と歌い始めた。すると他の連中も

海ゆかばー

と合唱を始めた。なにもないだだっ広い空間に特攻隊員たちの「海ゆかば」が流れた。

遠くから海行かばを無視するように、

ここはお国を何百里
離れて遠き満州の赤い夕日に照らされて
友は野末の石の下

泣きながら歌う声が聞こえた。


「放送禁止の歌を歌っているのは誰だ。」

加藤が苦虫を噛んだように顔をゆがめて言った。

「斎藤文雄だと思います。彼はこの歌が好きでよく歌っていました。」

石原が言った。

「なにー。この歌は放送禁止にされている歌だぞ。日本国民の戦争への高揚を脆弱にさせる歌だ。お前はこんな下司な歌を歌っていたのか。」

「いえいえ。私は歌っていません。歌っていたのは斎藤です。私ではありません。」

加藤の剣幕にたじろぎながら石川は弁解した。

「説教してやる。斎藤を呼べ。」

石川は、

「斎藤。こっちに来い。」

大声で斎藤を呼んだ。すると斎藤の歌が止まった。

加藤と石川は斎藤が来るのを待ったが斎藤は来なかった。

「ふざけた奴だ。石川。斎藤を呼べ。」

斎藤が来ないので加藤は怒った。

「斎藤。こっちに来い。」

石川は斎藤を呼んだ。しかし、斎藤は来なかった。

「斎藤。」

加藤が大声で呼んだ。しかし、斎藤は来なかった。

加藤は苛立った。

「石川。斎藤を連れて来い。」

「はい。」

と答えて、石川は斎藤を探しに行こうとして躊躇した。戦友を歌った斎藤を連れてきて説教する必要があるかどうか疑問を感じた。斎藤も自分たちと一緒に神風特攻隊員として飛行場を飛び立った。そして、アメリカの軍艦に体当たりをして死んだ。神風特攻隊員としての任務を立派に遂行して死んだ斎藤を説教してなんになる。なんにもならない。

「あのう。加藤さん。」

石川は頭を掻きながら、

「斎藤は同じ場所にいるかどうか分からないし、こんなだだっ広い場所で斎藤を探すのは大変です。斎藤を探すのは勘弁させてください。」

「なに、お前は先輩の言うことが聞けないと言うのか。」

「いいえ。決してそんなことではありません。ただ、斎藤を探し出すのは困難であると言っているのです。はい。」

石川の横柄な態度に加藤は頭にきた。

「文句を言うな。さっさと斎藤を探しに行け。」

死んだのだから殴られても痛くない。死んだのだから体は軽く正座を何時間やっても平気である。石川には体罰を食らう恐怖はなかった。軍隊のように罰として食事抜きにされてもお腹が減るということはない。

「すみません。無駄なことはやりたくないのです。」

「なにー。なにが無駄だ。」

加藤は石川に殴りかかろうとした。加藤を伊藤と岡部が止めた。


「おにいちゃあーん。」

遠くでか女の子のかわいい声がした。一同が始めて聞く仲間以外の声であった。一同は声のする方を見た。はるか彼方に米粒ほどの人の姿が見えた。

「おにいちゃあーん。」

一同は顔を見合わせた。一体誰の妹なのだろう。

「おにいちゃあーん。」

手を振りながら女の子は走ってくる。妹のいない岡部と石原は他の連中の顔をみまわした。妹はいないことを思い出した小泉も他の連中の顔を見た。女の子の顔がはっきりと見え加藤が
「ああ。」

と声を出し指で女の子を指したまま体を硬直させた。

「由美子。」

加藤の口から妹の名前が出た。加藤は集団から出て由美子の方に走った。

「ゆみこー。」

兄と妹はしっかりと抱き合った。

他の連中は肉親と出会った加藤を羨んだ。みんな口には出さないが、父、母、兄、姉、弟、妹に会えない寂しさを感じていた。生きていれば戦争が終われば親兄弟に会える。しかし、死んだら会うことができない。家族と遠く離れて生きていかなければならない孤独を噛み締めていた。

加藤はかわいい妹を抱きしめていたが、死んだ自分と同じ世界に妹がいることは妹も死んだということになることに気づいた。加藤は我に返り驚愕した。

「由美子。どうしてお前はここに居るのだ。」

由美子は兄に会えたうれしさに満ち溢れていた。由美子と加藤は年の離れた兄妹であり、一年ぶりの再会に由美子はうれしくてうれしくて加藤にずっとしがみついていた。加藤は由美子を強引に離した。

「由美子。どうしてここにいるのだ。」

「分からない。由美子は庭で遊んでいたの。それから急になにもない所に座っていたの。お家もない。お花もない。なにもない。変なところ。」

由美子は自分が死んだことを知っていない。なぜ由美子が死んだのだ。加藤は理解に苦しんだ。由美子は東京から祖母の住んでいる長崎に疎開した。由美子が死ぬはずはない。長崎も東京のように空爆されたのだろうか。

「由美子。爆弾が落ちてきて爆発したのか。」

由美子は考えたが爆撃機がやって来て爆弾を落とした記憶はなかった。

「爆弾は落ちて来なかったわ。」

「爆発はなかったのか。」

「なかったわ。」

「じゃあ、どうして由美子がここに居るのだ。」

「ここはどこなの。」

「由美子が来てはいけないところだ。」

「わたしが来てはいけないところなの。」

「そうだ。」

「お兄ちゃんは来てもいいところなの。」

加藤は喉がつまった。

「そ、そうだ。お兄ちゃんは神風特攻隊だからここに来る運命なのだ。」

「ふうん。」

由美子は理解できないことを理解しようとした。しかし、理解できない。加藤も妹の由美子が目の前に居ることが理解できなかった。

　１９４５年（昭和２０年）８月９日午前１１時０２分に、アメリカ軍が日本の長崎県長崎市に原子爆弾を投下した。由美子を含め、一瞬のうちに約７万４千人が死亡した。長崎に原爆が落ちたことを特攻隊の加藤は知るはずもない。

　由美子が目の前に居る。由美子が死んだことは事実だ。否定することができない。由美子が死ぬはずはない。死ぬはずはない。でも由美子が目の前に居る。由美子の死を否定することはできない。

「理不尽だ理不尽だ理不尽だ。ここに居るはずがない由美子が居る。ここに居てはいけない由美子がここに居る。」

　俺はアメリカ軍艦を沈没させた。鴨井は失敗した。失敗した鴨井の妹は無事でなぜ俺の妹は死んだのだ。おかしいぞ。」

鴨井はぼそぼそと言った。

「加藤は天皇陛下のために特攻したのじゃないか。妹がアメリカに殺されようが殺されまいが加藤には関係ないことじゃないか。加藤も天皇の子、妹も天皇の子だ。生き死にはお互いに関係のないことだ。そうだろう加藤。」

加藤は苛ついていた。

「鴨井。声が小さい。言いたいことがあったらはっきりと言え。お前はアメリカの軍艦に体当たりをし損なった。アメリカ軍に痛手を与えることもできなかった。俺は軍艦を沈没させた。それなのに俺の妹は戦死してお前の妹はゆうゆうと生きている。なぜだらしのない奴の妹は生きているのだ。さあ、答えろ鴨井。」

加藤は鴨井の胸倉を掴んだ。

「済みません。」

「なにが済みませんだ。このやろう。」

妹が死んだことで加藤は逆上していた。加藤に責められている内に鴨井は鬱積していた反発が増大していった。加藤への怒りが爆発した。鴨井は加藤の手を払いのけた。

「俺はな加藤。特攻隊になりたくなかった。もっと絵を描きたかった。しかし、それは許されない。特攻隊員となった時、俺の夢は鎖で縛られた。特攻隊員として出撃する時に俺は妹のために敵艦に体当たりすることを誓った。母のため父のために俺は敵艦に体当たりした。体当たりは失敗した。でも、それは運不運の問題だ。特攻隊として海の藻屑となった俺の願いはかなえられた。俺は妹が生きているだけで俺が特攻隊として出撃した意義はあると思っている。殴るなら殴れ。どうせ死んだ身体だ。痛くもなんともない。」

加藤は「くそくそくそくそ。」と言って悔やんだ。

「アメリカの軍艦は何千隻何万隻あるのだ。神風特攻隊の零式戦闘機の何十倍もあるのじゃないのか。これじゃあ神風特攻隊全機が突っ込んでもアメリカの軍艦は残るじゃないか。寒気がしてきた。」

「くそ。神風が吹かないのか。」

「やつらは神風も計算にしてしまうのさ。くそ。」

「どうすればアメリカをやっつけることができるのだ。」

「無理だ。とてもじゃないがアメリカに勝てる要素が見つからない。アメリカに勝てるのは大本営発表だけだよ。」

１９４５年8月１５日

日本帝国敗戦で戦争は終わった。

終戦から７５年

黄泉の国の神風特攻隊員たちはどうしているのだろうか。

沖縄問題を根底から問う、衝撃の書！

沖縄に内なる民主主義はあるか　又吉康隆

沖縄に内なる民主主義はあるか　1500円（税抜）

捻じ曲げられた辺野古の真実　又吉康隆

真実　辺野古　辺野古　真実　辺野古　辺野古　真実　辺野古　真実　辺野古　真実

捻じ曲げられた辺野古の真実　1530円（税抜き）

彼女は慰安婦ではない、違法少女売春婦だ

少女慰安婦像は韓国の恥である　又吉康隆

少女慰安婦像は韓国の恥である　1300円（税抜）

沖縄革新に未来はあるか　著作　又吉康隆

沖縄革新に未来はあるか　1300円（税抜き）

落合恵子　佐藤優　金平茂紀　上草一秀　坂本龍一　國分功一朗　加藤登紀子　宮崎駿　キャサリン・ミュージック

あなたたち　沖縄を　もてあそぶなよ　著作　又吉康隆

あなたたち沖縄をもてあそぶなよ　1350円（税抜き）

おっかあを殺したのは俺じゃねえ

新老人ホーム論・平勘の遺言　哲二の災難　又吉康隆

おっかあを殺したのは俺じゃねえ　1350円（税抜き）

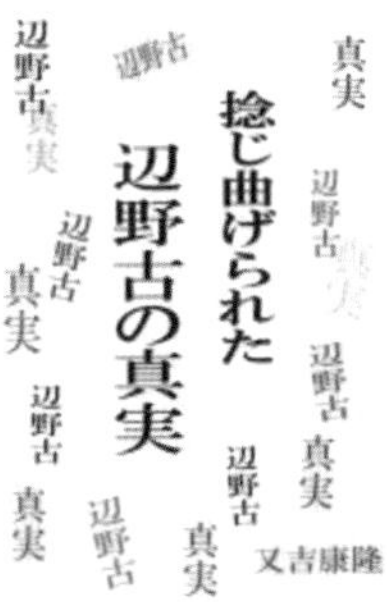

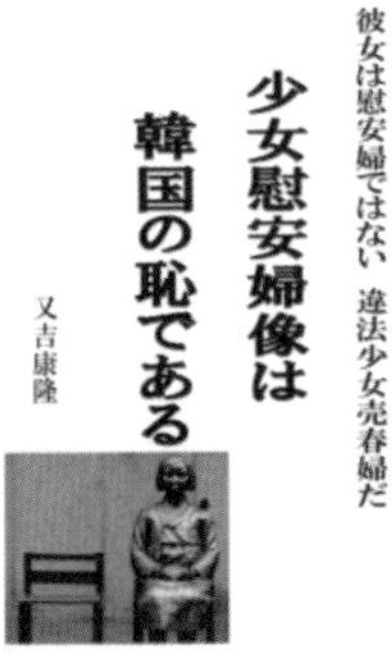

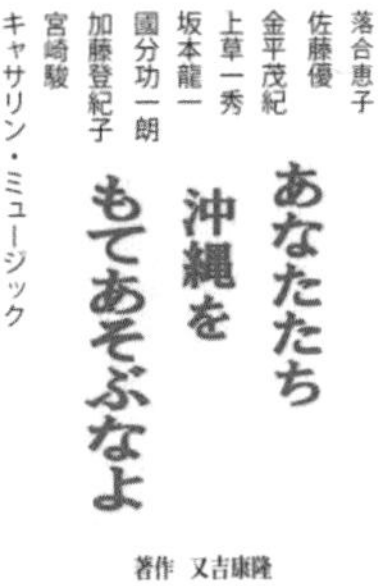

マリーの館　１３８０円(税抜き)

バーデスの五日間　上　１３００円(税抜き)

バーデスの五日間　下　１２００円(税抜き)

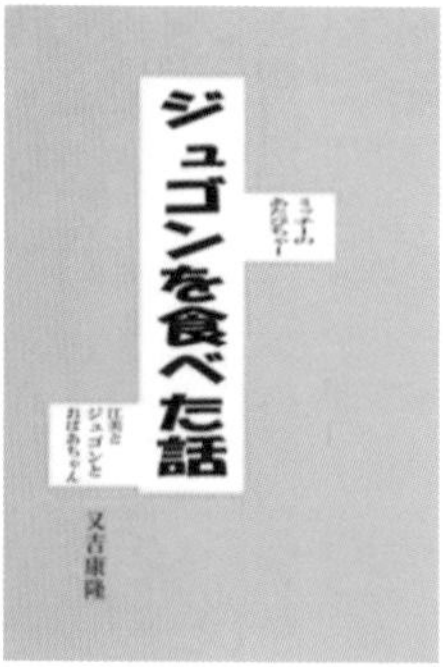

ジュゴンを食べた話　１５００円(税抜き)

一九七一Mの死　１１００円(税抜き)

台風十八号とミサイル　１４５０円(税抜き)

こらしょ
ひょーいひょーい
あてもなく
居場所もなく
つんつんてん
けんぱー
ぐーちょき

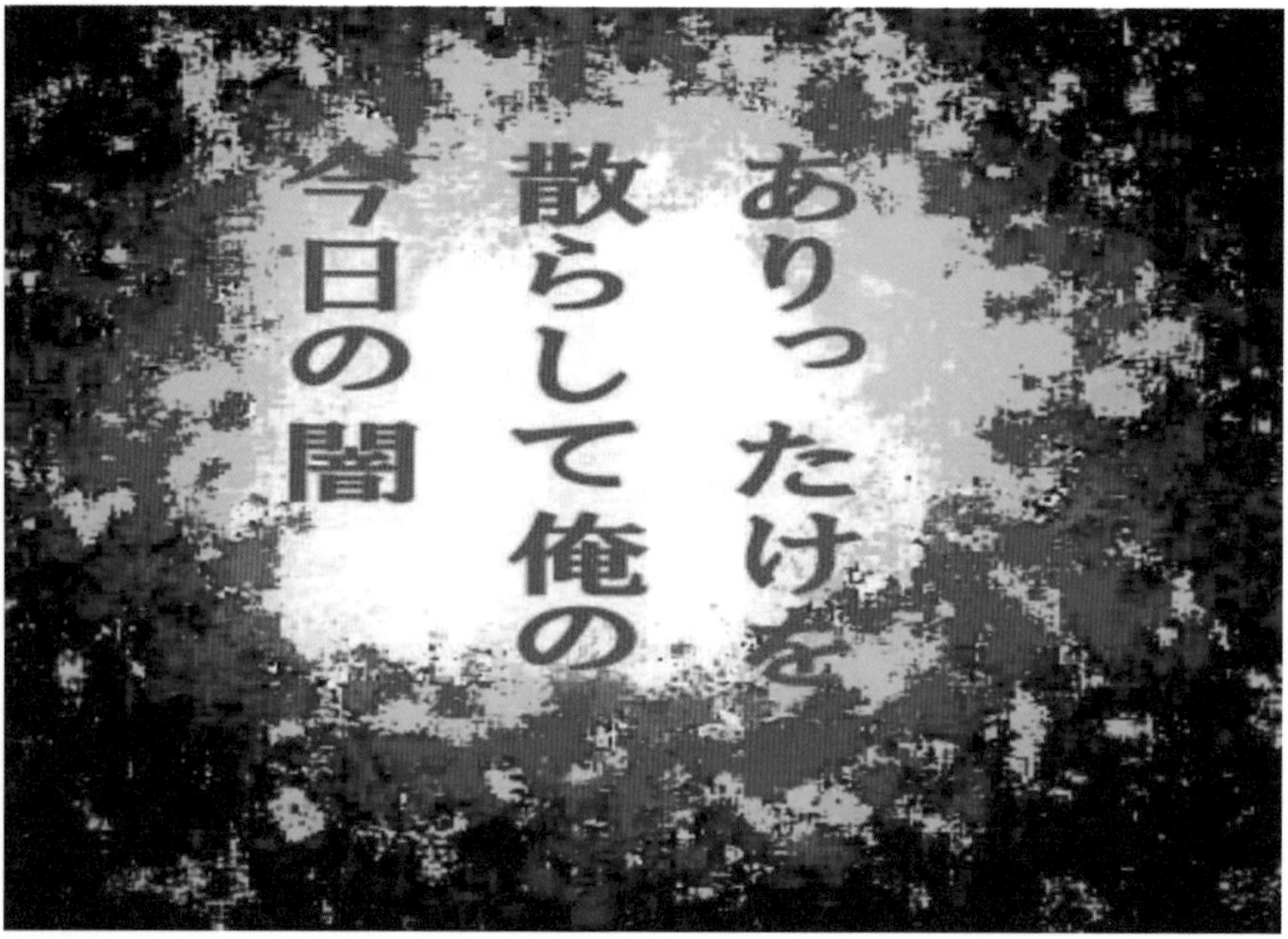
ありったけを
散らして俺の
今日の闇

うぐいすと
ひよどりの声が
どこからか

ウフフンフ
くるくるるくく
いやいやーん
カナシー
ヤッホー

がじゅまるの
春を愛でての
カチャーシー

カラスがガー
木が苦笑して
日が暮れる

きびよ
育て育てと
少年の日々

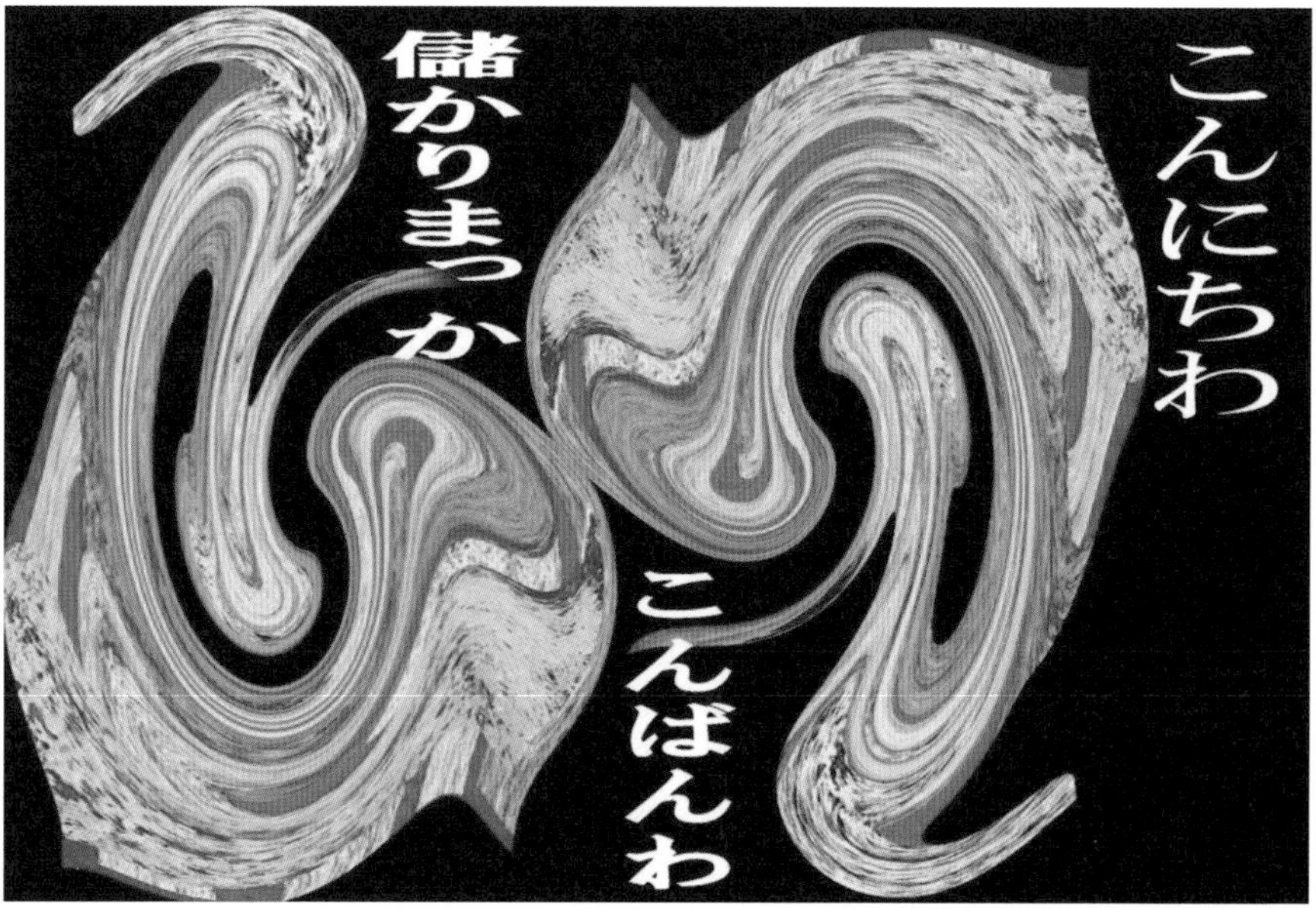
こんにちわ
こんばんわ
儲かりまっか

なぜ石が
ここにある ふと
考える

しあわせを
求め虚ろに
叫ぶかな

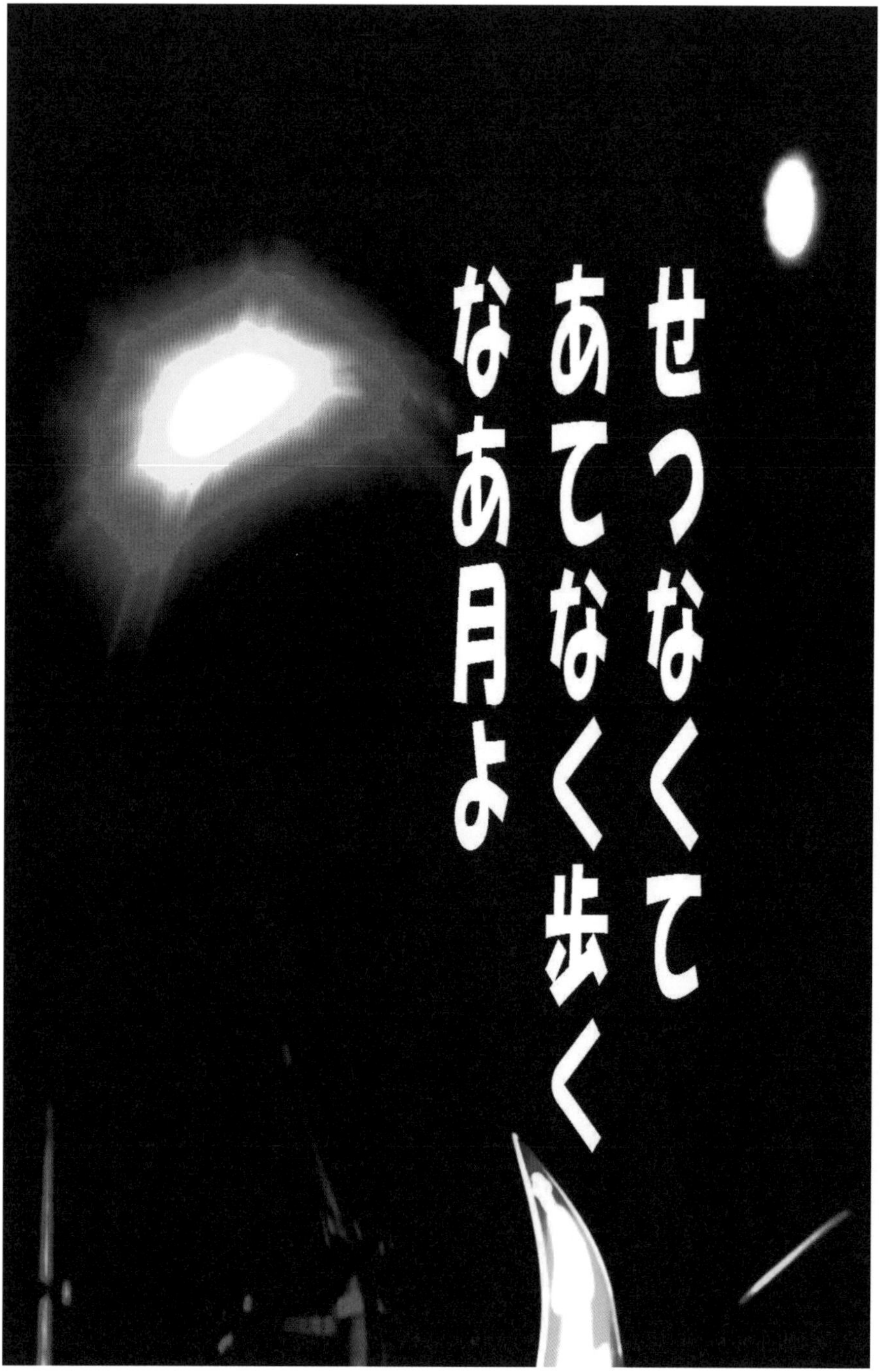
せつなくて
あてなく歩く
なあ月よ

はち
切れて
喚いて
叫び
手を広げ

やわらかな陽に恥らうや
無垢な花

ゆらりゆら脳が憂鬱
今日も雨

金網に
断たれ廃れし
はたけ道

今日も
行く
魑魅魍魎の
待つ街へ

黒いフランケン6

「これからどうする。タクシーに乗るのも怖いな。ロイ・ハワードの仲間も動いているが分かった。チャン・ミーの仲間にロイ・ハワードの仲間がコザ一帯をうようよしていたとしたらタクシーを待っている間に見つかるかも知れないしタクシーに乗ったとしても彼らがタクシーを見逃してくれる保障はない。」

「歩いて帰ろう。」

「遠いよ。それより近くの路地の奥に隠れた方が安全ではないのか。」

啓四郎は言ったが、

「濡れた服のままじっとしていたら風邪を引く。家に帰って体を温めた方がいい。」

と仲里は言った。確かに若くはない肉体は一晩中濡れた服を着ていると重い風邪に掛かるかもしれない。啓四郎と仲里は啓四郎の借家に歩いて帰ることにした。


啓四郎と仲里は大雨の中を歩き続けた。人影らしきものが見えると路地に逃げこみ、車のライトが見えると建物の影に隠れた。

「風邪を引くかもしれないな。」

濡れた体が冷えてきた。体を温めるためには走り続けた方がいいかも知れないが疲れた肉体ではそういうわけにもいかない。二人はゴヤの中通りを抜け、ゴヤ一町目の病院街を横切ってくすの木通りに出た。右左を見て人影もヘッドライトの灯も見えないのを確認してから車道を横切ってゴヤ二町目に入った。


人家の間を進み、啓四郎と仲里は啓四郎のアパートのある南方に向かって歩き続けた。ゴヤ三町目を過ぎ、ゴヤ四町目を過ぎ、園田一町目の路地に入り、園田二町目の路地を急いでいると遠くの方で人間のうめき声が聞えた。啓四郎と仲里と顔を見合わせた。再び男のうめき声が聞こえた。声の聞こえる方を見ていると複数の人間の影が見えてきてその影は次第に近づいてくる。「うえー。」とか「うわー。」とか争っているような声であった。啓四郎と仲里は近づいて来る集団から離れるために走り始めた。園田二町目は新しい住宅が隣り合わせで並んでいて狭い路地はなかった。啓四郎と仲里は路地のない通りを走った。争っている集団の移動は以外に早くどんどん近づいてくる。啓四郎と仲里は全力で逃げた。服はびしょ濡れ、靴の中にも水が充満して足は重く道路は水が溜まっているので思うように走れない。それでも背後の争っている音は次第に小さくなっていった。

啓四郎と仲里は十字路を左に曲がった。なだらかな坂を啓四郎と仲里はゆっくりと走った。雨は相変わらず土砂降りで、道路は川のように濁流となっていた。坂を走っていると前方に二つの丸い灯が見えた。車のヘッドライトの明かりだ。ヘッドライトの明かりは次第に近づいてくる。ロイ・ハワードの仲間の車ではないだろうかという恐怖が啓四郎に走り、走る歩を緩めて隠れることができそうな場所を探した。しかし、道路は塀が続き、身を隠す場所がなかった。二人は顔を伏せて歩いた。後ろの方で叫び声が聞えた。振り返ると黒い大男の回りを五、六人の男たちが取り巻いていた。黒い大男は前に進み続けているが、黒い大男を取り巻く男たちは獲物を襲う狼のように次から次へと黒い大男に飛び掛かっていった。しかし、黒い大男にしがみついても振り払われていた。黒い大男はミスターN・Hに違いない。ミスターN・Hを囲んでいる男達は声からするとチャン・ミーの仲間だろう。ミスターN・Hと男達は十字路を真っ直ぐに進み視界から消えていった。啓四郎はミスターN・Hと彼を追っている集団が十字路から消えてほっとした。ヘッドライトの灯りのスピードが増して啓四郎たちの側を通り過ぎて行った。車は十字路を左折して消えた。車に乗っていたのはロイ・ハワードの仲間に違いない。ミスターN・Hを追って十字路を左折したのだろう。もし、車の人間がミスターN・Hを見付けなかったら啓四郎達が狙われていたに違いない。暫くすると仲里が足を止めて、啓四郎を呼んだ。

「どうした仲里。疲れたのか。」

「いや、疲れてはいない。啓四郎。」

と言って中里は啓四郎に寄って来た。

「ミスターN・Hの後をつけよう。ミスターN・Hとロイ・ハワードの仲間とチャン・ミーの仲間の三つ巴戦を見学したくないか。」

ロイ・ハワードの組織とチャン・ミーの組織はミスターN・Hを捕獲するのが目的である。ミスターN・Hが現れたのだから啓四郎や仲里を追いかける可能性は低い。彼らに見つけられないように隠れながら見物することはできる。一生に一度しか見られないであろう怪物の捕り物とアメリカのスパイとC国のスパイの争いだ。啓四郎に見たくない理由はない。啓四郎は頷いた。

仲里と啓四郎は小走りで十字路にやって来ると左側の道路を覗いた。雨の中で所々に点灯している街灯の白い光に煌いている雨の滝が見えるだけで人影は見えなかった。二人は小走りでミスターN・Hの後を追った。道路は百メートル過ぎると右に湾曲していて昇り坂になっていた。耳を澄ましたが争う声は聞えてこない。啓四郎と仲里は坂を昇った。仲里が啓四郎の肩を叩いた。

「聞えたか。」

「いや、なにも聞えなかった。」

「いや、確かに聞えた。向こうの方だ。急ごう。」

啓四郎には雨が道路や建物を叩く音や下水道を流れる水の音しか聞えなかったが仲里にはミスターN・Hと争う音が聞えたようだ。二人は足を速めた。その時、後ろの方からヘッドライトの明かりが登場し、道路上の水を弾きながら猛スピードで近づいてきて啓四郎と仲里の側を通り過ぎていった。この車もロイ・ハワードの仲間なのだろうか。それとも、関係のない一般の人が運転していたのだろうか。暫くすると再び後方からヘッドライトの灯が現れ、啓四郎の側を通り過ぎて行った。しかし、その車は三十メートル程離れた場所に来るとスピードを落として停まった。啓四郎は悪い予感がした。歩をゆっくりと進めた。後方から新たなヘッドライトの灯りが現れ、啓四郎たちの後ろに来ると停まった。坂道で通り過ぎた車は停まった。中から二人のアメリカ人が出てきた。坂道で通り過ぎた車は啓四郎と仲里を見つけて他の仲間に連絡したのだろう。啓四郎と仲里を捕まえる為に車から出てきたのは明らかだ。啓四郎と仲里は走って逃げた。すると前方に停まっている車からも一人のアメリカ人が出てきて近づいてきた。啓四郎と仲里は挟み撃ちされた。ロイ・ハワードの組織は啓四郎と仲里の存在も忘れていなかったのだ。ミスターN・Hに気を奪われて自分達のことはないがしろにするだろうというのは軽率な判断であったことを啓四郎は後悔した。

屈強なアメリカ人にとても勝てそうにない。啓四郎がありったけの力で殴っても相手は痛くも痒くもないだろう。しかし、おとなしくつかまるわけにはいかない。逃げ場がないか道路沿いの建物の隙間を探したが見当たらない。啓四郎と仲里は三人のアメリカ人に囲まれた。啓四郎は車道を横切って逃げようとしたが後ろから襟首を捕まれて後ろに放り投げられた。腰を車道に打ちそのまま濁流が流れる車道の上を滑っていった。啓四郎は起き上がって逃げようとしたが右手首を捕まえられると腕を背中の方に捩じられ、顎は腕に挟まれて動けなくなった。足をばたつかせて体を振り解こうとしてもびくともしない。腕を捩じられたまま啓四郎は引き摺られた。車に押し込める積もりだろう。なんとか振り解こうと必死に体をばたつかせたが子供と大人のような力の差があり、啓四郎はどんどん車の方に引き摺られていった。もう逃げることができないと諦めかけた時、

「う。」と背後で声がして捩じ上げていた手が緩み離れた。体が自由になり後ろを振り返ると、啓四郎を掴んでいたアメリカ人の体がくるっと宙を舞って路上に叩きつけられた。路上に叩きつけられたアメリカ人は横腹を押さえながらもがいていた。

「大丈夫か。」

仲里は啓四郎を掴んで立たせた。啓四郎は事情が飲み込めず困惑した。

「お前がアメリカ人を投げたのか。」

「そうだ。他のアメリカ人も気を失っている。」

啓四郎は体の小さい中里が三人のアメリカ人をやっつけたことが信じられなかった。

「車に乗って逃げよう。」

アメリカ人が乗っていた車はヘッドライトが点いていた。エンジンは掛かったままだろう。歩くより車の方が楽であるし安全である。啓四郎と仲里は前方の車に向かった。車に乗ろうとした時助手席が開いてロバートが出てきた。

「捕まらなくてよかったです。」

ロバートは啓四郎と仲里が捕まらなかったのを喜んでいた。

「ロバート。この車を僕達が借りるよ。」

「どうぞ。」

ロバートは車から離れた。啓四郎は運転席に乗った。助手席に仲里が乗ろうとした時、ロバートは仲里に近寄り、

「中里さん。ミスターN・Hを見たいとは思いませんか。」

と言った。助手席に入りかけた仲里はロバートを向いた。

「ミスターN・HはC国のスパイ団に囲まれながら逃げています。ミスターN・HがC国のスパイ団に捕まえられる前に捕まえようとロイ・ハワードは全員に集合を掛けています。そして海兵隊の特殊部隊

も出動することになりました。ミスターN・Hの居所を私は分かります。」

ロバートは携帯電話を翳した。仲里は啓四郎に、

「どうしようか。」

と言った。仲里の顔はロバートと一緒にミスターN・Hを見に行きたいと言っている。啓四郎はロバートが信用できるか不安だった。ロバートがその気になればロイ・ハワードの仲間の所に案内して啓四郎達を捕縛させることもできる。

「ロバートはロイ・ハワードの仲間だ。信用していいのかな。」

「大丈夫だ。ロバートは科学者であってロイ・ハワードの仲間ではない。危ない時は逃げればいい。」

元科学者である仲里はミスターN・Hの正体を知りたいという欲望が高まり、危険は二の次であった。啓四郎もミスターN・Hを見たいという好奇心はあった。

「分かった。行こう。」

ロバートは助手席に座り、仲里は後部座席に座った。ロバートは携帯電話を取り出して電話をし、ミスターN・Hの居場所を聞いた。

「コザシティー野球場の近くにミスターN・Hは居ます。急ぎましょう。」

啓四郎が運転する車は国道３３９号線に出ると北に向かった。コザ市の上地に入ると左折してコザシティー野球場に向かった。二つの十字路を過ぎるとコザシティー野球場である。啓四郎はコザシティー野球場に近くなるに従い車のスピードを落とした。前方に車が停まっていて二人のＭＰが検問をしていた。啓四郎は車を停めた。

「どうする。」

啓四郎は仲里に聞いた。ロバートは電話をして現在の状況を詳しく聞いた。

「ミスターN・Hはコザシティー野球場の広場でC国のスパイ団九人に囲まれているそうです。海兵隊の特殊部隊もまもなく到着するようです。トム・ハワードの仲間の全員が到着してから包囲網を敷いて、ミスターN・Hの捕獲作戦を実行します。C国のスパイ団も一網打尽にする計画です。実行は十分後です。早くコザシティー野球場に行きましょう。」

ロバートはコザシティー野球場に啓四郎と仲里を連れて行こうとした。しかし、コザシティー野球場はロイ・ハワードやアメリカ特殊部隊に囲まれた世界である。啓四郎達を知っているロイ・ハワードの仲

間に見付かれば捕まってしまう可能性がある。啓四郎はこれ以上車を進める勇気はなかった。

「私と一緒に居れば大丈夫です。」

とロバートは言ったが啓四郎の不安は消えなかった。

「仲里。これ以上進むのは危険だ。」

「ロバートと一緒に車の中に居れば大丈夫だよ。早く行こう。」

一分一秒でも早くミスターＮ・Ｈを見たい仲里はロイ・ハワードの仲間やアメリカ特殊部隊の中に入り込む危険よりミスターＮ・Ｈへの好奇心の方が勝っていた。好奇心の方が命の危険より優先する学者タイプの仲里と好奇心よりは命の危険性を優先する普通の人間のタイプである自分との違いを啓四郎は知った。啓四郎は仲里と同じ気持ちにはなれなかった。

「いや駄目だ。俺は行かない。俺は車を下りる。」

仲里は啓四郎の言葉を信じられないという顔をした。

「どうして。」

「敵の中に入り込むなんて狂い沙汰だ。俺は行かない。」

啓四郎たちが車の中で話し合っている間に次々とコザシティー野球場の周りに四方八方から車が集まり、ぞろぞろとアメリカ人が出てきた。啓四郎達の車の側を何台も車が通り過ぎた。車が通り過ぎる度に啓四郎は恐怖した。

「分かった。お前が行かないのなら僕も行かない。それじゃあ車を下りて野球場広場の木々の闇に隠れながら接近しよう。それならいいだろう。」

啓四郎は承諾した。するとロバートが、

「私もあなたたちと一緒に行きます。」

と、啓四郎や仲里と一緒に行きたいと言い出した。

「私はミスターＮ・Ｈについて仲里さんの意見を聞きたいです。」

その時ロバートの携帯電話が鳴った。相手はロイ・ハワードだった。早くコザシティー野球場に来るようにとロイ・ハワードは言い、ロバートは車が故障しているからコザシティー野球場に着くのは遅れると嘘をついた。ロバートが電話している間に啓四郎達の車の存在に気づいたＭＰが近寄ってきた。啓四郎はロバートの肩を叩いて近づいて来るＭＰを指さした。ロバートは近づいて来るＭＰに気づくとロイにできるだけ早く行くと言って電話を切り、急いで車を出て車を睨みながら歩いて来るＭＰに近づいて胸ポケットから身分証を出した。ＭＰは豆電灯で照らしながら身分証を確かめると戻っていった。ロバートは戻ってきた。

「ロイの話だと海兵隊の特殊部隊が到着したので数分後に行動を開始するそうです。ミスターＮ・ＨとＣ国のスパイを一気に捕まえる作戦のようです。急ぎましょう。」

三人は車を下りるとコザシティー野球場奥の広場の中に侵入した。激しい雨が枝葉を叩いている。ぽたぽたと大きな雫が背中や肩に落ちた。仲里が先頭になり三人は闇の中を歩いてコザシティー野球場の入り口の方に進んだ。


白い街灯の光線に雨が白い線の光になって落ちて来るコザシティー野球場の入り口広場にはＣ国の男達が黒い大男を囲んでいた。二人の男がミスターＮ・Ｈの足に絡みつき動きを止めようとしたが足はするりと抜け、腹に組み付いた男の首を掴んで放り投げた。後ろから腰を掴み他の男が胸にしがみ付いたが、ミスターＮ・Ｈは男の首を掴むと高々と持ち上げ投げようとした。男は足を肩に回して首を掴んでいる腕を両手で外し反転するとミスターＮ・Ｈから離れて身構えた。男達は武術家のように闘いに慣れているようだ。ミスターＮ・Ｈは西側の広場に歩き始めた。すると二人の男がミスターＮ・Ｈに飛び掛りミスターＮ・Ｈを倒そうとしたが弾き飛ばされた。仲里とロバートはミスターＮ・Ｈと男達との争いをじっくりと観察した。

「ミスターＮ・Ｈには目鼻口耳はないようですね。」

「いや、小さくてここからは見えないということも考えられる。腕や足の動きがなんとなく変だ。関節があるようでないようで。」

「そうですね。擬似間接のようです。軟体動物のように腕や足のどの箇所でも曲がるが、基本的に人間の関節を支点にした動きですね。体のバランスはいいようだ。倒れそうで倒れない。」

「いや、体のバランスは悪い。動きがぎこちないのは体のバランスが悪い性だ。」

「しかし、あれほど激しくぶつかっても倒れないということはバランスがいいということです。」

「倒れないのは類い稀な力と体に柔軟性があるせいだ。歩くときにぎこちないということは体のバランスが悪い性だ。」

「そうでしょうか。」

ロバートは仲里の推察に同意できないようだ。

「目はないと思いますよ。相手を攻撃しないのは目がない証拠です。捕まれてから反撃しています。目はないが皮膚の知覚はあるということになります。」

「そうかも知れない。」

「ミスターN・Hは生体と思いますかそれともロボットと思いますか。」

「ううん、どちらとも言えるしどちらとも言えない。」


その時、二十人余りの迷彩服を着たアメリカ兵が一斉に広場に現れ、C国の男達を囲んだ。アメリカ兵の半数は軽機関銃や拳銃を持っている。大声で警告を発するとC国男達は動きが止まった。アメリカ兵とC国の男達は睨み合いが続き、アメリカ兵のグループは次第に輪を縮めていった。ミスターN・HはC国の男達の輪から抜け広場の西の方に歩き始めた。ミスターN・Hを捕まえようとアメリカ兵の数人がミスターN・Hに飛び掛ったが二人は路上に転がされ、一人はアメリカ兵の輪の中に投げ飛ばされた。アメリカ兵の輪が崩れた瞬間にC国の男達は一斉にアメリカ兵に飛び掛っていった。激しい肉弾戦が雨の中で繰り広げられた。

「チャン・ミーもあの中に居るのかな。チャイナ服の人間は居ないからチャン・ミーは居ないかもな。」

仲里は心配そうに呟いた。

「俺が仲ノ町で最初に見た時はズボンを着けていた。スナックに入った時のチャン・ミーは俺たちの気を引くためにチャイナ服を着けたはずだ。今は戦闘服を着けていると思う。」

「それではあの闘いの中にチャン・ミーが居るかも知れないのだ。大丈夫かな。美しい顔に傷をつけないかな。心配だ。」

チャン・ミーを心配している仲里に啓四郎は苦笑した。

「仲里さん。携帯電話を持っていますか。」

ロバートが聞いたので仲里は持っていると言って携帯電話をロバートに見せた。仲里の携帯電話を取ると自分の電話番号を打ちこんだ。ロバートの携帯電話が鳴ったのを確認してから仲里に携帯電話を返した。ロバートはアメリカ兵とC国のスパイの争いには興味がなかった。視界から消えたミスターN・Hをロバートは気になっていた。

「私はミスターN・Hを追って行きます。後で電話します。仲里さんもなにかあったら私に電話してください。」

ロバートは携帯電話をポケットに入れるとコザシティー野球場の入り口広場に行き、アメリカ兵とC国の男達が戦っている場所を避けて通り過ぎるとミスターN・Hが去った方向に消えて行った。

コザシティー野球場の広場のアメリカ兵対C国スパイの戦闘は入り乱れて五分五分の闘いだったが続々と新たなアメリカ兵が戦闘に参加してC国のスパイは不利な状況になってきた。不利な状況に追い込まれたC国のスパイ団は四方八方に逃げ始めた。コザシティー野球場の広場から三人のC国スパイが啓四郎達が潜んでいる場所に向かって逃げてきた。

「ここに居たら俺たちも争いに巻き込まれる。逃げよう。」

啓四郎と仲里は道路とは反対側のデイゴや蘇鉄や松の木が植わっている広場の奥の方に逃げた。ところが逃げている三人の中の一人は啓四郎達と同じ方向に逃げてきた。パンパンと数初の銃声が聞えた。啓四郎と仲里は左側に方向を変え、広場のはずれにある木の裏に隠れた。拳銃の弾に肩を打ち抜かれたC国のスパイは二人のアメリカ兵に追いつかれて格闘を始めた。C国のスパイは体が小さく、大柄なアメリカ兵に比べると子供のようだ。しかし、C国のスパイはかなりの武術家のようで二人のアメリカ兵に簡単に組み伏せられることはなく抵抗した。

「あれはチャン・ミーではないのか。」

仲里が言った。啓四郎は目を凝らして小柄なC国の人間を見たが闇の中では顔を判別することはできなかった。しかし、動きを見れば女性であることを想像させた。その時稲光が走り、一瞬の間広場は明るくなった。争っている三人の姿がはっきり見え、C国の人間の顔が見えた。仲里が言った通りその顔はチャン・ミーであった。チャン・ミーがいくら武術で鍛えていても二人のアメリカ兵も戦闘に長けた男達である。チャン・ミーはアメリカ兵に組み伏せられてしまった。

「チャン・ミーを助けよう。」

予想していない仲里の言葉であった。ぶんさんを誘拐し、啓四郎や仲里を捕まえようとしていたチャン・ミーを助けるのは自分の危険要素を増やすだけである。啓四郎はチャン・ミーを助ける気にはなれなかった。それにチャン・ミーを助けようとしたら屈強なアメリカ兵に逆に自分の方がやられてしまうかも知れない。啓四郎は屈強なアメリカ兵を襲うことに戸惑ったが、仲里は言うと同時に飛び出していった。仲里に引っ張られるように啓四郎も走り出した。チャン・ミーの腕を後ろに回して締め上げていた男に仲里は体当たりをした。啓四郎は拳銃をチャン・ミーに向けているアメリカ兵に飛びついた。アメリカ兵は後ろから不意に体当たりされたので前につんのめった。地面は濡れていて啓四郎は足を滑らせて相手のアメリカ兵と一緒に転んだ。啓四郎はアメリカ兵に飛びついた瞬間に体力の差を感じ一対一の闘いで勝てる相手ではないと感じたがもう戦うしかない。啓四郎は無我夢中でアメリカ兵に馬乗りになろうとしたが足が滑って思うように動けない。それでもアメリカ兵の胸倉を掴んで一発殴ったが効果があるようには思われなかった。逆に肩を捕まれ体勢は逆転し、下に組しかれそうになった。あわててアメリカ兵の足にしがみ付いた。太い腕が啓四郎の顔を掴み、啓四郎の顔は地面に打ち付けられた。脇腹に拳を打ち込まれ息ができなくなる程の痛みが走った。啓四郎は必死に反撃しようとしたが体格も大きいし体力の鍛えも数段上のアメリカ兵には啓四郎の攻撃は通用しなかった。アメリカ兵が啓四郎に馬乗りになった時に起き上がったチャン・ミーがアメリカ兵の顎を蹴った。アメリカ兵は声も出さずに横倒しに倒れて動かなくなった。啓四郎は痛い腹を押さえながら立ち上がった。チャン・ミーは啓四郎の顔を見て驚いたが、なにも言わず逃げて行った。啓四郎は当たりを見回して仲里を探した。アメリカ兵が横たわっている十メートル程離れた場所から中里は啓四郎の所に寄ってきた。

「アメリカ兵をやっつけたのか。」

「まあな。チャン・ミーはどうした。」

「逃げて行った。」

仲里は「そうか。」と言ってほっとした。

「俺たちも逃げよう。」

啓四郎は仲里の同意を求める前に広場の外の方向に走り出した。仲里は啓四郎を呼び止めたが啓四郎は仲里の声を無視して走った。仲里は仕方なく啓四郎の後ろについてきた。コザシティー野球場の広場から出て数百メートル走って住宅街の中に来た時、啓四郎は走るのを止めた。仲里は啓四郎と並んで歩きながら野球場に戻ってミスターN・Hとアメリカ兵の戦いを見物しようと言ったが啓四郎は仲里の引き止めに応じないで歩を進めた。住宅街を歩き続けて野球場からかなり離れた場所にやってきて啓四郎の恐怖は和らいできた。

「ミスターＮ・Ｈはどこに逃げたかな。」

仲里はまだミスターＮ・Ｈを見たい欲求があったが啓四郎は死の恐怖から逃れたかった。

「早く安全な場所に逃げよう。ロイ・ハワードの仲間はミスターＮ・Ｈを捕まえるのに懸命になっているはずだから逃げるチャンスだ。急いでアパートに戻ろう。」

仲里は不満な顔をしたが啓四郎の後ろを付いて来た。

　仲里の携帯電話が鳴った。ロバートからの電話だった。

「仲里さん。ミスターＮ・Ｈは野球場の中に逃げました。私が予測していた通りミスターＮ・Ｈのエネルギーは無限ではありませんでした。かなり弱っています。仲里さん。早く野球場に来て下さい。ミスターＮ・Ｈは捕まるでしょう。仲里さんにも見て欲しいです。ミスターＮ・Ｈについて仲里さんの意見を聞きたいです。」

仲里はロバートの電話を聞いているうちに野球場に戻りミスターＮ・Ｈの捕り物劇を見たい欲求が強くなった。

「啓四郎。野球場に戻ろう。」

啓四郎は野球場に戻ることに反対した。

「アメリカ兵は拳銃を持っている。見付かったら殺されるかも知れない。危険すぎる。さっきだって運が悪かったら殺されたかも知れない。俺は行きたくない。」

啓四郎は野球場に戻ることを嫌った。しかし、仲里は一人でもコザシティー野球場に行くといって譲らなかった。

「てい。よく考えろ。ミスターＮ・Ｈを見たってミスターＮ・Ｈを直接調べることはできない。ミスターＮ・Ｈの正体を知ることができてもなんの得にもならない。野球場へ行けば捕まってしまう。行かないほうがいい。」

啓四郎は仲里を説得したが啓四郎の説得は仲里の好奇心を萎えさせることはできなかった。

「分かった。お前は帰れ。僕ひとりで行くよ。」

仲里は携帯電話をホルダーに納めると野球場の方に歩き始めた。啓四郎は慌てて仲里の前に立ち塞がって仲里を止めた。

「行くのは止めろ。命は惜しくないのか。」

仲里は、

「命は惜しいよ。でも、ミスターＮ・Ｈとアメリカ兵の戦いは見ものだ。一生に一度しか見れない凄いショーを見ないなんて生きている意味がない。人生を楽しまなくちゃ。」

啓四郎は仲里の一途な好奇心に苦笑いするしかなかった。

「仕方がない。俺も行く。ていはまるで子供だな。」

二人はコザシティー野球場に向かった。

雨は小降りになってきた。暗い夜空には稲光りが盛んに走る。再び土砂降りになるかも知れない。数時間も雨に濡れた啓四郎と仲里の体は冷えていた。

「体が冷えて寒気がする。コンビニで酒を買ってから野球場に行こう。」

「そうだな。」

啓四郎の提案に一秒でも早くコザシティー野球場に行きたい筈の仲里も頷いた。びしょ濡れの服は二人のからだから熱を奪い続けていた。体を温める必要がある。それにはアルコールを体内の血に流し込むのが一番いい方法だ。コンビニは十分程歩いた場所にあった。ミスターN・Hとロイ・ハワードのグループはコザシティー野球場に集まり、チャン・ミーの仲間は命からがら散会したから啓四郎と仲里は二つの危険グループに狙われる心配がなくなっていた。二人は襲われる恐怖もなく隠れないで通りを歩いた。

深夜のコンビニは客が居なかった。ずぶ濡れの浮浪者のような姿の中年の客にコンビニの店員は用心したが、二人はウィスキーを一本と紙コップを買うとコンビニを出た。

コップから口の中へウィスキーが浸入し、ウィスキーは喉を熱くして胃の中へ下りて行った。啓四郎は建物の軒下で腰を下ろし、雨を避けてウィスキーを飲みたがったが一刻も早くコザシティー野球場に行きたい仲里がそれを許さなかった。

コザシティー野球場は啓四郎の予想以上に危険な状況になっていた。コザシティー野球場入り口一帯には数台のMPのパトカーが赤いランプを点滅させ、五、六台の軍用ジープやトラックが道路沿いに駐車していた。一帯はまるで戦場のようなものものしい状況になっていた。啓四郎と仲里は道路から右に折れ住宅街の方に移動した。

「MPや軍隊も動員している。野球場の回りはどこもかしこもMPや軍隊が警戒している筈だ。これでは野球場に行くのは危険だ。」

と啓四郎は警告したが仲里の決心を鈍らせることはできなかった。二人は住宅街を通ってコザシティー野球場の広場に隣接する雑木林に入った。稲光が走り一瞬の間野球場の広場が明るくなった。二人の予想に反して表のものものしい状況と違い闇が広がる野球場の外野側の広場にはアメリカ兵やＭＰの姿は見当たらなかった。二人は腰を低くして塀を越えてコザシティー野球場の広場に忍び込んだ。がじゅまるや黒木やでいごの木が茂っている広場は闇に覆われていたが時折り稲光りが走って明るくなる。明るくなった瞬間はＭＰに見つからないかと啓四郎は思わず身をすくめた。啓四郎と仲里は木々に隠れながらコザシティー野球場の外壁に沿って移動しながらコザシティー野球場に入る裏口を探した。

「ここから球場に入れるだろう。しかし、鍵が掛かっている。」

啓四郎は裏口から入るのを諦めて、壁をよじ登って球場に入れる場所がないか探した。仲里は裏口に近寄り鍵をいじった。

「おい。鍵が開いたよ。」

「え、ほんとか。」

仲里の言う通り鍵は外れていた。

「鍵は壊れていたのか。」

「そんなところだろう。」

啓四郎と仲里は球場の中に入ると外野席に向かった。

コザシティー野球場はナイター用のライトに照らされていた。黒い大男を迷彩服を着けた十数人の兵士たちが取り囲んでいる。グランドは格闘技場になっていた。次々と黒い男に迷彩服の兵士達は襲い掛かった。黒い大男は襲ってくる兵士たちを次々と放り投げた。大男を取り巻く輪は弾き飛ばされて乱れた。輪の後方に居たウォーカー軍曹が号令すると黒い大男を囲んでいた迷彩服の男たちが後退した。

機関銃を構えた二人の兵士が出てきて、黒い大男に向けて機関銃を連射した。二つの機関銃が火を吹き、黒い大男は十メートル以上も弾き飛ばされ野球場の壁にぶつかった。そのまま倒れ込むと思ったが黒い大男はなにも無かったように壁伝いに歩き始めた。黒い大男に向かって再び二つの機関銃が火を吹いた。壁と大男に数百発の弾丸が打ち込まれ、黒い大男の背後の壁に弾丸がぶつかりコンクリートが悲鳴を上げているように聞こえる。機関銃の火が吹くと黒い大男は肉体がひきちぎられるようにもがいた。まるで断末魔のもがき苦しみの踊りを演じているようだ。しかし、機関銃の発射音が止むと黒い大男はなにごともなかったように歩き始めた。

　ウォーカー軍曹が号令を掛けると、十数名の迷彩服の男たちが球場の壁沿いを歩いている黒い大男を囲み、次々と黒い大男に襲い掛かり球場の壁に押し付けた。壁に押さえつけた男を後ろの男が抑えつけるようにして十人以上の迷彩服が球場の壁に張り付いた状態になった。兵士達に押さえつけられた黒い大男は身動きができないと思われたのだが、黒い大男は圧力をすり抜けると次々と迷彩服の兵士たちを放り投げた。迷彩服の壁は崩れ、黒い大男は迷彩服の兵士達を踏み潰したり放り投げながら、ウォーカー軍曹の方に向かって進んだ。

　黒い大男＝ミスターN・Hの態度が変わった。これまでは逃げながら襲い掛かってくる兵士だけを振り払っていたが、ミスターN・Hは態度を豹変させて逆襲を始めた。思いも寄らぬミスターN・Hの逆襲は特殊部隊を戸惑わせた。目も鼻も口もないミスターN・Hがどのような知覚能力を持っているのかは知らないが、視力の弱い人間のように動きながら兵士達を追いまわした。ウォーカー軍曹の叱咤号令で兵士は体勢を立て直してミスターN・Hを取り囲んだが攻撃をしてくるミスターN・Hにすぐに蹴散らかされてなす術はなかった。

　野球場の中に背にタンクを抱えた防火服を着けた隊員が入ってきた。脇には火炎放射器を抱えている。ケイン隊長はウォーカー軍曹にミスターN・Hを囲んでいる兵士を退却させるように命じた。兵士達は退却を始めたが攻撃的になったミスターN・Hは退却する兵士を追いかけてきた。

「ケイン隊長、これでは火炎放射器は使えません。兵士とミスターN・Hを十メートル以上は離してください。今、火炎放射器を使うと仲間の兵士を焼き殺してしまいます。」

ケイン隊長は困った顔をした。

「早くミスターN・Hから離れろ。さもないと火炎放射器に焼き殺されるぞ。」

ケイン隊長は大声で呼びかけたが、兵士を追いかけ回すミスターN・Hから兵士全員が十メートル以上離れるのは困難であった。

　火炎放射器が野球場に持ち込まれたことにロバートはロイ・ハワードに抗議した。

「ミスターN・Hは生け捕りにするべきです。殺すにしても原形は残すべきです。火炎放射器で焼き殺したら原形どころかミスターN・Hの組織が全て焼かれてしまう。それではミスターN・Hの研究ができません。直ぐに火炎放射器は撤去して下さい。」

「ミスターN・Hの捕獲は私達のグループの権限ではない。私たちの任務はミスターN・Hの情報を集めることだ。ミスターN・Hの捕獲に対しては助言だけに限られている。」

ロバートの抗議にロイ・ハワードは苦笑いして取り合わなかった。ロバートはロイ・ハワードに抗議しても取り合ってくれないので、ミスターN・H捕獲を指示しているケイン隊長に抗議することにした。

「無駄なことは止めろ。」

ロイ・ハワードはロバートを引き止めたが、ロバートはロイ・ハワードを振り切ってケイン隊長のいる一塁ベースの方に行った。ロバートはケイン隊長の前に立った。

「火炎放射器を使用するのは止めて下さい。火炎放射器は国際法でも使用が禁止されています。」

ケイン隊長はロバートを睨んだ。

「お前は何者だ。」

ケイン隊長の鋭い眼光、威圧ある声にロバートは一瞬気後れした。

「私はミスターN・H捕獲作戦のアドバイザーです。」

「アドバイザーだって。」

ケイン隊長はロバートを嘲笑しながら、側のウォーカー軍曹に聞いた。

「俺たちの部隊にアドバイザーが居たか。」

ウォーカー軍曹は火炎放射器を発射するタイミングのない状況にイライラしていた。

「いえ、聞いていません。」

ケイン隊長は疑いの目でロバートを睨んだ。鋭い眼光に睨まれたロバートはおどおどしながら、

「ロイ・ハワードと同じグループに居る者です。」

と言うと、ケイン隊長は胡散臭そうにロバートを横目に見ながらウォーカー軍曹に聞いた。

「ロイ・ハワードって誰だ。」

「ミスターN・Hの情報を収集しているCIAの情報部員です。」

「ああ、情報屋のアドバイザーねえ。ミスターN・Hの体力が落ちた時に生け捕りにしろなんてことをアドバイスされたがそのアドバイスは少しも役に立たなかった。機関銃も効果がないのだから火炎放射器を使うのは当然だ。それとも爆弾を使うか。」

ケイン隊長はロバートを見下すように笑った。

「お前達の情報は役に立たない。もうお前達情報屋

の仕事は終わった。あとは俺たちの仕事だ。アドバイスは無用だ。」

「しかし、火炎放射器を使用するのは止めて下さい。ミスターN・Hが黒こげになったらミスターN・Hの正体を調べることができません。」

「ミスターN・Hの正体だって。」

「そうです。ミスターN・Hの正体はまだ解明されていません。科学的に貴重な存在です。」

「なにがミスターN・Hの正体だ。あいつに俺の隊員の一人が殺され、六人が重傷を負わされているんだ。いいか小僧、よく聞け。生捕りにすることを優先しろと上から命令されていたのは確かだ。しかし、これだけの犠牲を出しても捕獲はできなかった。機関銃でも死なない化け物なのだ。あいつが生きていると死人が増えるだけだ。一秒でも早く始末しなければならない。」

「しかし。」

とロバートが反抗しようとしたが、

「こいつを摘み出せ。」

ケイン隊長が言うと側に居た兵士二人がロバートを両方から腕を抱えて野球場の外に連れ出した。

「ウォーカー軍曹。あいつに機関銃を撃て。あいつを機関銃で後ろに吹っ飛ばしてから火炎放射器を使うのだ。」

「トニー、ミッチャム、アームストロング。」

ウォーカー軍曹は機関銃を携帯している三人を呼んだ。三人に計画を話して一緒にミスターN・Hが暴れている場所に移動した。ミスターN・Hはセンターで一人の兵士を掴んで投げようとしたが兵士は腕にしがみ付いて抵抗し、二人の兵士はミスターN・Hに殴りかかっていた。

「ジョーン。」

ウォーカー軍曹は狙撃兵のジョーンを呼んだ。ジョーンは走ってきた。

「ジョーン。今の状況では機関銃は使えない。あの三人が離れた瞬間にミスターN・H狙撃しろ。行け。」

ジョーンは狙撃銃を構えながらミスターN・Hに接近していった。ミスターN・Hにしがみ付いている兵士は数メートル投げられた。ミスターN・Hは振り返ると二人の兵士を捕まえようとした。二人の兵士は急いでミスターN・Hから離れた。ジョーンの狙撃銃が火を吹いた。鋭い銃弾はミスターN・Hの頭部に命中し、ミスターN・Hの頭部が傾いた。二発三発と銃弾は発射しミスターN・Hの胸腹頭に銃弾は命中してミスターN・Hはよろめいた。しかし、直ぐに体勢を立て直すと次々と命中する弾丸によろめくこともなく歩き始めた。三つの機関銃が同時に火を吹いた。無数の赤い閃光がミスターN・Hに突き刺さる。ミスターN・Hは赤い閃光に押されてどんどん後ずさりした。

黒い大男から兵士達が離れた瞬間に野球場の一面が赤い光に覆われた。火炎放射器から赤い炎の柱が飛び出しミスターN・Hを赤い炎が包んだ。

仲里の携帯電話が鳴った。野球場から放り出されたロバートからだった。

「仲里さん。どこに居ますか。」

「野球場の外野席にいる。」

「火炎放射器が準備されました。ミスターN・Hが火炎放射器で焼かれようとしています。なんとか生け捕りしようと思っていましたが駄目でした。仲里さん。ミスターN・Hを生け捕りをする方法はないですか。」

ロバートは泣きそうな声になっていた。仲里は返事に困った。

「さあ、僕には思いつかない。」

「そうですか。私は仲里さんの所に行きます。」

仲里は慌てて「それは困る。」と言ったが、ロバートは仲里の返事を聞かずに電話を切った。ロバートは三塁のダッグアウトの通路に入り観客席に上がった。啓四郎と仲里が潜んでいる外野席に向かった。

「やあ、仲里さん。」

ロバートは啓四郎と仲里を見つけると近寄ってきた。仲里はロバートに身を屈めるように言った。

「仲里さん。ミスターN・Hの正体が分かりましたか。ミスターN・Hには目鼻口耳がありません。それなのに知覚はあるようです。どう思いますか仲里さん。」

若い科学者の質問に仲里は答えるのに戸惑った。仲里の専門は超伝導であって人間の知覚について専門的に勉強したことがなかった。

「全身に神経があり、それが知覚の働きをしているのではないかな。」

仲里は無難に答えた。

つづく

２０２０年9月発行
沖縄　日本　アジア　世界　内なる民主主義２４
　定価１２９５円(消費税抜き)

編集・発行者　又吉康隆
発行所　ヒジャイ出版
〒　９０４-０３１３
沖縄県中頭郡読谷村字大湾７７２－３
電話　０９８－９５６－１３２０
印刷所　印刷通販プリントパック
ISBN978 - 4 - 905100 - 37 - 9
C0036

著作　又吉康隆
１９４８年４月２日生まれ。沖縄県読谷村出身。

小説

マリーの館　１３８０円（税抜き）

一九七一Ｍの死
　　　　１１００円（税抜き）

ジュゴンを食べた話　１５００円（税抜き）

バーデスの五日間

上巻１３００円（税抜）下巻１２００円（税抜）

おっかあを殺したのは俺じゃやねえ
　　　　１３５０円、（税抜き）

台風十八号とミサイル
　　　　１４５０円（税抜き）

評論

沖縄に内なる民主主義はあるか
　　　　１５００円（税抜）

少女慰安婦像は韓国の恥である
　　　　１３００円（税抜）

、捻じ曲げられた辺野古の真実
　　　　１５３０円（税抜き）

沖縄革新に未来はあるか　１３００円（税抜

あなたたち沖縄をもてあそぶなよ
　　　　１３５０円（税抜き）

県内取次店

沖縄教販

TEL　098-868-4170

FAX　098-861-5499

本土取次店

(株)地方小出版流通センター

TEL　03-3260-0355

FAX　03-3235-6182

取次店はネット販売をしています。